# salades fraîcheur

carnet de cuisine

# LAROUSSE

21 rue du Montparnasse 75283 Paris Cedex 06

**Édition originale**

Cet ouvrage a été publié pour la première fois en 2011 sous le titre *Cool & fresh* par McRae Publishing Ltd.

© 2011 McRae Publishing Ltd

Édition : Anne McRae, Marco Nardi
Direction artistique : Marco Nardi
Photographies : Brent Parker Jones
Textes : Carla Bardi

**Édition française**

Direction éditoriale : Delphine Blétry
Édition : Mathilde Piton, assistée de Candice Roger
Traduction : Hélène Nicolas
Direction artistique : Emmanuel Chaspoul
Réalisation : Belle Page, Boulogne
Couverture : Véronique Laporte

ISBN : 978-2-03-587050-6
Dépôt légal : avril 2012
Imprimé en Chine

# Sommaire

# Bon appétit !

Cet ouvrage présente 100 délicieuses salades rapides à préparer. Leur niveau de difficulté est indiqué en tête de chaque recette par les chiffres 1 (pour les simples) et 2 (pour les moyennement faciles). Les 25 recettes qui suivent ont été sélectionnées spécialement pour vous mettre l'eau à la bouche ! Vous pouvez les retrouver aux pages indiquées en haut de chaque photographie.

 LES SIMPLISSIMES

Salade POIRES, PECORINO & MIEL

Méli-mélo de SALADES VERTES

Salade d'ORANGES À LA SICILIENNE

Salade de POMMES DE TERRE NOUVELLES

Cocktail CREVETTES & MANGUES

Salade POIVRONS, HARICOTS & ARTICHAUTS

Salade RIZ, POMMES & NOIX

LES PLUS LÉGÈRES

Salade de FRUITS DE MER

Salade POULET & FRUITS

Salade ORGE, THON & MOZZARELLA

## ● LES TRADITIONNELLES

PINZIMONIO (salade toscane de légumes crus)

Salade GRECQUE

RÉMOULADE

Salade NIÇOISE

FATTOUSH (salade
de pain du Proche-Orient)

Salade CARAÏBES

Salade ÉPEAUTRE,
POMMES & GORGONZOLA

## ● NOS COUPS DE CŒUR

Salade PORC GRILLÉ & FRUITS FRAIS

PANZANELLA
(salade toscane de pain)

Salade de POULET
THAÏ

| VOICI LE | PALMARÈS | DE NOS | MEILLEURES | SALADES ! |

Salade ROQUETTE,
POMME & PARMESAN

Salade PÂTES
& POIVRONS RÔTIS

Salade RIZ SAUVAGE
& FRUITS SECS

Salade de POISSON
AUX ÉPICES

Salade POULET, HARICOTS
BLANCS & ROQUETTE

# Salades végétariennes

## Salade CARAÏBES

> 1 grosse orange
> 2 tranches d'ananas
> 12 tomates cerises
> 1 poivron jaune
> 100 à 200 g de dés de noix de coco
> Quelques feuilles de romaine
> 2 bananes
> Le jus de 1 citron vert

Pour la sauce
> 4 cuill. à soupe d'huile d'olive vierge extra
> 1 cuill. à soupe de moutarde à l'ancienne
> Sel et poivre du moulin

Pour 2 à 4 personnes • Préparation : 15 min • Difficulté : 1

1. Pelez l'orange à vif et coupez-la en quartiers. Détaillez les tranches d'ananas en dés. Coupez les tomates cerises en deux. Épépinez le poivron, puis émincez-le. Réunissez ces ingrédients dans un saladier avec la noix de coco et mélangez le tout.

2. Préparez la sauce. Dans un petit saladier, fouettez l'huile avec la moutarde, puis assaisonnez.

3. Tapissez un grand saladier de feuilles de romaine. Ajoutez la salade de fruits, puis nappez de sauce.

4. Pelez les bananes et coupez-les en rondelles au-dessus du saladier. Arrosez de jus de citron vert, puis servez aussitôt.

Si cette recette vous plaît, vous aimerez aussi...

Salade
à l'ANANAS

Salade d'ORANGES
À LA SICILIENNE

Salade FRAISES
& FENOUIL

Le manuka est un arbuste sauvage qui pousse en Nouvelle-Zélande et donne un miel réputé pour ses propriétés antibactériennes. De nos jours, son miel est exporté dans le monde entier. Vous pouvez le remplacer par du miel de sapin ou de châtaignier si vous n'en trouvez pas.

# Salade POIRES, PECORINO & MIEL

> 2 à 4 poires mûres
> 2 cuill. à soupe de jus de citron
> 4 ou 5 cuill. à soupe de miel de manuka (voir l'introduction)
> 250 g de pecorino

Pour 4 personnes • Préparation : 10 min • Difficulté : 1

1. Si vous utilisez des poires bio, ne les épluchez pas. Leur peau donnera encore plus de goût à la salade.

2. Évidez les poires et coupez-les en quartiers. Arrosez-les de jus de citron pour éviter qu'ils noircissent, puis nappez-les de miel.

3. Coupez le fromage en lamelles. Disposez-les dans un plat de service avec les quartiers de poire et servez aussitôt.

Si cette recette vous plaît, vous aimerez aussi...

Salade PAMPLEMOUSSE, ÉPINARDS & PARMESAN

Salade ROQUETTE, POMME & PARMESAN

Salade FROMAGE, POIRES & KIWIS

# Méli-mélo de SALADES VERTES

Pour 6 personnes • Préparation : 10 min • Difficulté : 1

> 1/2 salade frisée
> 1/2 salade romaine
> 50 g de pousses d'épinards
> 1 poignée de feuilles de roquette
> 1 poignée de feuilles de cresson
> 1 poignée de feuilles de trévise ou de bettes
> 2 cuill. à soupe de persil plat

**Pour la vinaigrette**
> 4 cuill. à soupe d'huile d'olive vierge extra
> 2 cuill. à soupe de vinaigre balsamique
> Sel et poivre du moulin

1. Jetez les feuilles extérieures de la frisée et de la romaine, puis effeuillez le reste. Déchirez les feuilles en deux ou trois morceaux, réunissez-les avec les autres ingrédients dans un saladier et remuez le tout.

2. Préparez la vinaigrette. Dans un petit saladier, fouettez l'huile avec le vinaigre, du sel et du poivre. Versez la vinaigrette sur la salade, remuez et servez.

# Crudités & SAUCE AU SAFRAN

Pour 6 personnes • Préparation : 15 min • Repos : 20 min • Cuisson : 3 à 5 min • Difficulté : 1

> 4 ciboules
> 1 petit chou-fleur
> 2 petits oignons rouges
> 4 tiges de céleri-branche
> 4 courgettes
> 12 radis
> 2 trévises
> Sel et poivre du moulin

**Pour la sauce**
> 1 pincée de pistils de safran
> 2 cuill. à soupe de jus de citron
> 1 cuill. à soupe de sauce au raifort
> 6 cuill. à soupe d'huile d'olive vierge extra
> 250 g de ricotta
> 4 cuill. à soupe de pistaches émondées hachées

1. Émincez les ciboules, puis réservez-les 20 minutes dans un saladier d'eau glacée. Pendant ce temps, détaillez le chou-fleur en bouquets et faites-les cuire 4 minutes dans une casserole d'eau bouillante salée. Égouttez-les. Pelez les oignons, puis émincez-les avec le céleri, les courgettes et les radis. Effeuillez les trévises, puis réunissez le tout dans un plat avec les ciboules.

2. Préparez la sauce. Dans un bol, fouettez l'ensemble des ingrédients. Servez les crudités avec la sauce.

# Salade NIÇOISE VÉGÉTARIENNE

Pour 4 personnes • Préparation : 30 min • Cuisson : 10 à 15 min • Difficulté : 1

> 250 g de petites pommes de terre
> 250 g de haricots verts équeutés
> 4 œufs durs
> 3 tomates
> 3 artichauts marinés
> 1 oignon rouge
> 25 g d'olives noires
> 10 g de feuilles de persil

**Pour la sauce**
> 1 gousse d'ail
> 4 cuill. à soupe d'huile d'olive vierge extra
> 2 cuill. à soupe de jus de citron
> 1/2 cuill. à café de moutarde de Dijon
> Sel et poivre du moulin

1. Faites cuire les pommes de terre à la vapeur de 10 à 15 minutes, puis coupez-les en deux. Plongez les haricots verts dans une casserole d'eau bouillante et laissez-les blanchir pendant 3 minutes. Coupez les œufs, les tomates et les artichauts en quatre. Pelez l'oignon, puis détaillez-le en rondelles. Dans un saladier, mélangez le tout avec les olives et le persil.

2. Préparez la sauce. Hachez l'ail. Dans un bol, fouettez tous les ingrédients de la sauce, assaisonnez, puis versez-la sur la salade. Remuez et servez.

# Salade à l'ANANAS

Pour 4 personnes • Préparation : 20 min • Cuisson : 5 min • Difficulté : 1

> 2 grosses carottes
> 250 g d'ananas en conserve
> 1 petit concombre
> 2 ciboules
> 250 g de germes de soja
> 100 g de cacahuètes grillées

**Pour la sauce**
> 6 cuill. à soupe de beurre
> de cacahuètes
> 2 cuill. à soupe d'huile végétale
> 2 cuill. à café de sauce soja
> 1 cuill. à café de vinaigre blanc
> 1 cuill. à café de piment en poudre
> 12,5 cl d'eau froide

1. Râpez les carottes. Égouttez l'ananas, pelez le concombre, puis coupez le tout en dés. Émincez les ciboules. Rassemblez ces ingrédients dans un grand saladier avec les germes de soja et les cacahuètes, puis remuez délicatement.

2. Préparez la sauce. Dans une petite casserole, réunissez le beurre de cacahuètes, l'huile, la sauce soja, le vinaigre et le piment, puis faites chauffer à feu doux. Remuez en ajoutant assez d'eau pour obtenir une sauce crémeuse. Versez la sauce dans une coupelle et servez avec la salade.

# Salade BETTERAVES, ORANGES & FENOUIL

› 2 brins de romarin
› 2 cuill. à café de sucre roux
› 3 cuill. à soupe d'huile d'olive vierge extra
› 1 cuill. à café de sel
› 4 betteraves
› 1 bulbe de fenouil
› 2 oranges
› 90 g de noisettes grillées

Pour la vinaigrette
› 1 petit bouquet d'aneth
› 12,5 cl d'huile d'olive vierge extra
› 2 cuill. à soupe de vinaigre balsamique
› Sel et poivre du moulin

Pour 4 personnes • Préparation : 15 min • Cuisson : 1h • Difficulté : 1

1. Préchauffez le four à 180 °C (therm. 6). Effeuillez le romarin et coupez-le finement. Dans un saladier, mélangez-le avec le sucre, l'huile et le sel. Épluchez les betteraves, ajoutez-les dans le saladier, puis remuez. Enveloppez chaque betterave d'une feuille d'aluminium, puis déposez-les dans un plat à rôtir. Enfournez et laissez cuire 1 heure.

2. Pendant ce temps, préparez la vinaigrette. Hachez l'aneth. Mettez-la dans un bol avec l'huile et le vinaigre, puis fouettez le tout. Salez et poivrez.

3. Émincez le fenouil. Pelez les oranges à vif. Sortez les betteraves du four, déballez-les, puis coupez-les en quartiers avec les oranges. Répartissez-les dans des assiettes avec les morceaux de fenouil. Parsemez de noisettes grillées, nappez de vinaigrette et servez.

# Salade d'ORANGES À LA SICILIENNE

> 4 oranges
> 1 oignon blanc
> 1 cuill. à soupe de persil plat haché
> 6 cuill. à soupe d'huile d'olive vierge extra
> Sel et poivre du moulin

Pour 4 personnes • Préparation : 10 min • Difficulté : 1

1. Pelez les oranges à vif et coupez-les en tranches fines. Pelez l'oignon, puis émincez-le.

2. Dans un grand saladier, réunissez les tranches d'oranges, les morceaux d'oignon, le persil, du sel et du poivre. Arrosez d'huile. Remuez délicatement, puis servez.

**13**

Le pinzimonio se sert en entrée ou en accompagnement en Toscane et dans le Sud de l'Ombrie. Pour un résultat optimal, utilisez une huile d'olive vierge extra de qualité supérieure et des légumes frais de saison. Si vous le souhaitez, vous pouvez incorporer 12 cl de vinaigre balsamique à l'huile, à l'aide d'un fouet, avant de la verser dans les coupelles.

# PINZIMONIO (salade toscane de légumes crus)

> 4 artichauts
> Le jus de 2 citrons
> 4 carottes ou 8 petites carottes
> 4 cœurs de céleri
> 2 gros bulbes de fenouil
> 12 ciboules
> 12 radis
> 40 cl d'huile d'olive vierge extra
> Sel et poivre du moulin

Pour 6 personnes • Préparation : 20 min • Difficulté : 1

1. **Détachez** les feuilles externes des artichauts en les cassant près de la tige. Ôtez la tige et le tiers supérieur des feuilles restantes. Coupez chaque artichaut en deux dans le sens de la longueur et retirez le foin à l'aide d'un couteau. Détaillez les artichauts en quartiers, puis arrosez-les de la moitié du jus de citron.

2. **Brossez** les carottes et mettez-les à tremper dans un saladier d'eau froide avec le reste du jus de citron pendant 10 minutes.

3. **Éliminez** les côtes externes et les feuilles des cœurs de céleri. Coupez la base et le plumet des bulbes de fenouil. Jetez leurs feuilles externes abîmées et détaillez le reste en petits quartiers. Préparez les ciboules et les radis.

4. **Dans un bol**, fouettez l'huile avec du sel et du poivre, puis répartissez-la dans six coupelles. Disposez les légumes dans un plat et servez avec l'huile.

Si cette recette vous plaît, vous aimerez aussi...

Crudités
**& SAUCE AU SAFRAN**

Salade
**VITAMINÉE**

**PANZANELLA**
(salade toscane de pain)

# Coleslaw ASIATIQUE

- 1/2 chou chinois
- 5 ciboules
- 2 carottes
- 1 poivron rouge
- 25 g de menthe
- 80 g de cacahuètes grillées
- 120 g de pousses de soja
- 25 g de coriandre fraîche
- Sel et poivre du moulin

Pour la sauce
- 1 gousse d'ail
- 3 cuill. à soupe de jus de citron vert
- 1½ cuill. à soupe d'huile de sésame
- 1 cuill. à soupe de sauce soja
- 1 cuill. à café de gingembre râpé
- 1 cuill. à café de sucre roux

Pour 4 personnes • Préparation : 15 min • Difficulté : 1

1. Émincez le demi-chou et les ciboules, puis coupez les carottes et le poivron en fines lamelles. Ciselez la menthe et hachez les cacahuètes. Réunissez le tout dans un grand saladier avec les pousses de soja. Effeuillez la coriandre et parsemez-en la préparation, puis mélangez l'ensemble.

2. Préparez la sauce. Émincez l'ail. Mettez-le dans un bol avec le jus de citron vert, l'huile de sésame, la sauce soja, le gingembre et le sucre, puis fouettez le tout. Versez la vinaigrette sur la salade et remuez l'ensemble. Salez, poivrez, puis servez.

# Salade VITAMINÉE

- › 45 g de graines de citrouille
- › 45 g de graines de tournesol
- › 2 cuill. à soupe de graines de sésame
- › 2 cuill. à café de graines de cumin
- › 1 oignon rouge
- › 1/4 de chou rouge
- › 1 grosse carotte
- › 1 betterave cuite
- › 100 g de pousses d'épinards
- › 45 g de groseilles séchées
- › 3 cuill. à soupe de menthe hachée
- › Sel et poivre du moulin

Pour la sauce

- › Le zeste finement râpé et le jus de 1 orange non traitée
- › 3 cuill. à soupe de mélasse de grenade (dans les épiceries fines) ou 1½ cuill. à soupe de vinaigre balsamique + 1½ cuill. à soupe de sucre en poudre
- › 1 cuill. à soupe d'huile d'olive vierge extra

Pour 4 personnes • Préparation : 15 min • Cuisson : 3 à 5 min • Difficulté : 1

1. Dans une poêle antiadhésive, faites griller à sec toutes les graines à feu moyen de 3 à 5 minutes. Pelez l'oignon, puis émincez-le avec le quart de chou rouge. Râpez la carotte et la betterave. Hachez les épinards. Réunissez tous ces légumes dans un grand saladier avec les groseilles, la menthe et les graines grillées, puis mélangez le tout.

2. Préparez la sauce. Dans un bol, fouettez le zeste et le jus de l'orange avec la mélasse et l'huile. Versez la sauce sur la salade, puis remuez délicatement l'ensemble. Salez, poivrez et servez.

**18**

*Cette salade légère et riche en vitamines est excellente pour la santé. Servez-la en entrée, avant un plat de pâtes ou de viande, ou en accompagnement, avec un poisson ou une viande rôtie. Le pamplemousse compense la teneur en graisse des viandes rôties et ouvre l'appétit.*

# Salade PAMPLEMOUSSE, ÉPINARDS & PARMESAN

- 1 pamplemousse
- 125 g de parmesan en copeaux
- 200 g de pousses d'épinards

**Pour la sauce**
- Le jus de 1/2 citron
- 2 cuill. à soupe d'huile d'olive vierge extra
- 1 cuill. à soupe de ciboulette hachée
- Sel et poivre du moulin

Pour 4 personnes • Préparation : 10 min • Difficulté : 1

1. Pelez le pamplemousse à vif, puis détaillez-le en quartiers. Répartissez-les dans quatre assiettes avec le parmesan et les épinards.

2. Préparez la sauce. Dans un bol, fouettez le jus du demi-citron avec l'huile et la ciboulette, puis assaisonnez.

3. Versez la sauce sur la salade. Remuez, puis servez.

Si cette recette vous plaît, vous aimerez aussi...

Salade
CARAÏBES

Salade BETTERAVES,
ORANGES & FENOUIL

Salade ORANGES
& CRESSON

# Salade de TOMATES MÉLANGÉES

› 12 tomates cerises
› 6 petites tomates olivettes
› 3 tomates olivettes
› 2 tomates vertes
› 50 g de roquette
› Sel et poivre du moulin

Pour la sauce
› 1 oignon doux
› 2 gousses d'ail
› 12,5 cl d'huile d'olive vierge extra
› 2 cuill. à soupe de persil haché
› 40 g de tomates séchées à l'huile
› 1 cuill. à café de zeste de citron non traité râpé
› 5 cuill. à soupe de jus de citron
› 1 cuill. à soupe de vinaigre de vin rouge
› 2 cuill. à soupe de basilic

Pour 4 personnes • Préparation : 20 min • Cuisson : 5 min • Difficulté : 1

1. Coupez les tomates cerises et les petites olivettes en deux. Tranchez les autres tomates, puis réunissez-les toutes dans un grand saladier.

2. Préparez la sauce. Pelez l'oignon et l'ail, puis émincez le tout. Mettez 10 cl d'huile à chauffer dans une poêle. Faites revenir l'oignon et l'ail dans l'huile avec le persil 4 minutes. Égouttez les tomates séchées, puis ajoutez-les dans la poêle avec le zeste de citron, 4 cuillerées à soupe de jus de citron et le vinaigre. Laissez réchauffer à feu doux. Ôtez du feu, puis incorporez le basilic à la préparation.

3. Assaisonnez légèrement les tomates. Nappez-les de sauce chaude et remuez. Dans un petit saladier, mélangez la roquette avec le reste de l'huile et du jus de citron. Incorporez le tout à la salade, puis servez.

# Salade FRAISES & FENOUIL

- › 100 g d'amandes émondées
- › 300 g de fraises
- › 1 bulbe de fenouil
- › 350 g de pousses d'épinards

Pour la vinaigrette
- › Le jus de 1/2 citron
- › Le jus de 1 orange
- › 6 cuill. à soupe d'huile d'olive vierge extra
- › 2 cuill. à soupe de vinaigre balsamique
- › 1 cuill. à café de moutarde de Dijon
- › Sel et poivre du moulin

Pour 4 personnes • Préparation : 10 min • Cuisson : 5 min • Difficulté : 1

1. Faites griller les amandes à sec dans une grande poêle antiadhésive à feu moyen pendant 5 minutes. Arrêtez le feu et laissez refroidir. Pendant ce temps, coupez les fraises en quartiers, puis émincez le fenouil. Réunissez ces ingrédients dans un grand saladier avec les épinards et remuez délicatement.

2. Préparez la vinaigrette. Dans un bol, battez le jus du demi-citron avec le jus d'orange, l'huile, le vinaigre et la moutarde à l'aide d'une fourchette. Salez et poivrez.

3. Arrosez la salade de vinaigrette, puis remuez et servez.

Si les melons ne sont pas de saison, remplacez-les par de l'ananas, frais ou en conserve.

# Salade MELON, COURGETTES & PANCETTA

> 150 g de pancetta ou de bacon
> 2 courgettes
> Le jus de 1/2 citron
> 1½ melon
> 50 g de salade frisée
> 4 cuill. à soupe d'huile d'olive vierge extra
> Sel et poivre du moulin

Pour servir
> Quelques feuilles de menthe

Pour 4 personnes • Préparation : 15 min • Repos : 10 min • Cuisson : 3 ou 4 min • Difficulté : 1

1. Coupez la pancetta en dés, puis faites-les sauter dans une petite poêle à feu moyen pendant 3 ou 4 minutes. Arrêtez le feu et réservez.

2. Coupez les courgettes en fines rondelles. Répartissez-les sur une grande assiette. Arrosez-les de jus de citron, puis laissez reposer 10 minutes.

3. Pendant ce temps, épépinez le melon, puis coupez la chair en dés et mettez ceux-ci dans un grand saladier. Ajoutez la pancetta, les courgettes et la frisée, puis remuez délicatement le tout.

4. Répartissez la salade dans quatre assiettes. Salez, poivrez et arrosez d'huile. Garnissez de feuilles de menthe et servez.

Si cette recette vous plaît, vous aimerez aussi...

Salade RIZ SAUVAGE & FRUITS SECS

Salade POULET & FRUITS

Salade PORC GRILLÉ & FRUITS FRAIS

# Salade de POMMES AU YAOURT

> 1 salade romaine
> 1 pomme rouge bio
> 1 pomme verte bio
> 1 tige de céleri-branche
> 80 g de cerneaux de noix
> Sel et poivre du moulin

Pour la vinaigrette
> 6 cuill. à soupe de yaourt entier
> 6 cuill. à soupe de mayonnaise
> 1 cuill. à soupe de moutarde de Dijon
> 1 cuill. à soupe de vinaigre de cidre

Pour 4 personnes • Préparation : 10 min • Difficulté : 1

1. Préparez la vinaigrette. Dans un bol, fouettez le yaourt avec la mayonnaise, la moutarde et le vinaigre.

2. Effeuillez la romaine et déchirez chaque feuille en deux ou trois morceaux. Évidez les pommes, puis coupez-les en petits quartiers. Émincez le céleri. Hachez grossièrement les cerneaux de noix. Disposez les morceaux de romaine dans un grand saladier. Ajoutez les quartiers de pomme, le céleri et les noix. Nappez de vinaigrette. Salez, poivrez, puis remuez délicatement et servez.

# Salade ROQUETTE, POMME & PARMESAN

- 200 g de roquette
- 125 g de parmesan en copeaux
- 16 cerneaux de noix
- 1 grosse pomme red delicious bio
- Le jus de 1/2 citron
- Sel et poivre du moulin

**Pour la vinaigrette**
- 4 cuill. à soupe d'huile d'olive vierge extra
- 2 cuill. à soupe de vinaigre de vin blanc
- 1 cuill. à café de moutarde de Dijon

Pour 4 personnes • Préparation : 15 min • Difficulté : 1

1. Réunissez la roquette et le parmesan dans un grand saladier. Hachez les cerneaux de noix. Évidez la pomme, puis coupez-la en dés et arrosez-les de jus de citron. Ajoutez ces ingrédients dans le saladier.

2. Préparez la vinaigrette. Dans un bol, fouettez l'huile avec le vinaigre et la moutarde. Salez et poivrez.

3. Versez la vinaigrette sur la salade. Remuez délicatement et servez.

Servez cette salade colorée en guise d'entrée
ou lors d'un pique-nique. Ses légumes, ses graines
et ses fruits raviront vos amis tout en leur apportant
une multitude de vitamines et d'antioxydants.

# Salade ORANGES & CRESSON

> 2 grosses oranges non traitées
> 3 carottes
> 1 salade trévise
> 100 g de cresson
> 1 grenade
> 1 cuill. à soupe de graines
de tournesol
> 1 cuill. à soupe de graines
de citrouille

Pour la sauce
> 2 cuill. à soupe de jus de citron
> 1 cuill. à café de moutarde
de Dijon
> 4 cuill. à soupe d'huile de pépins
de raisin ou de tournesol
> Sel et poivre du moulin

Pour 4 personnes • Préparation : 15 min • Cuisson : 1 ou 2 min •
Difficulté : 1

1. Prélevez le zeste des oranges à l'aide d'un épluche-légumes
et réservez-le. Pelez les fruits à vif et coupez-les en fines
tranches en ôtant leurs pépins. Râpez les carottes,
puis effeuillez la trévise. Réunissez les oranges, les carottes,
la trévise et le cresson dans un grand saladier. Égrenez
la grenade au-dessus du saladier.

2. Faites griller les graines de tournesol et de citrouille
dans une casserole à feu vif pendant 1 ou 2 minutes.

3. Préparez la sauce. Dans un bol, fouettez le jus de citron
avec la moutarde, le zeste des oranges réservé et l'huile.
Salez, puis poivrez. Versez la préparation sur la salade
et remuez le tout.

4. Assaisonnez et parsemez de graines grillées.

Si cette recette vous plaît, vous aimerez aussi...

Salade CHAMPIGNONS,
KIWIS ET NOISETTES

FATTOUSH (salade
de pain du Proche-Orient)

Cocktail CREVETTES
& MANGUES

Cette recette est originaire de Sicile. Pour obtenir une version plus légère, faites griller l'aubergine au lieu de la faire frire.

# Salade d'AUBERGINE ÉPICÉE

- › 1 grosse aubergine
- › 1 cuill. à soupe de gros sel
- › 25 cl d'huile d'olive (pour la friture)
- › 1 petit poivron vert
- › 1 petit poivron jaune
- › 6 radis
- › 2 tomates
- › 4 ciboules
- › 2 gousses d'ail
- › 3 cuill. à soupe de persil haché
- › 1 cuill. à café de graines de cumin
- › 1 cuill. à café de piment en poudre
- › 1/2 cuill. à café de sel
- › 4 cuill. à soupe de jus de citron vert

Pour 4 personnes • Préparation : 1 h 15 • Cuisson : 20 min • Difficulté : 1

1. Coupez l'aubergine en petits dés et mettez-les dans une passoire. Saupoudrez-les de gros sel, puis laissez-les dégorger 1 heure.

2. Mettez l'huile à chauffer dans une grande poêle. Faites frire les dés d'aubergine de 5 à 7 minutes en procédant en plusieurs fois, puis égouttez-les sur du papier absorbant et laissez-les refroidir.

3. Épépinez les poivrons, puis coupez-les en petits dés, avec les radis et les tomates. Hachez finement les ciboules et l'ail. Réunissez tous les ingrédients dans un grand saladier. Remuez délicatement et servez.

Si cette recette vous plaît, vous aimerez aussi...

Salade PÂTES & LÉGUMES D'ÉTÉ GRILLÉS

Salade PÂTES, AUBERGINE & PIGNONS DE PIN

Salade SEMOULE & AUBERGINE

# Salade de HARICOTS BLANCS

> 250 g de haricots blancs secs
> 3 gousses d'ail
> 2 cuill. à soupe d'huile d'olive vierge extra
> 1/2 cuill. à café de piment en poudre
> 120 g de prosciutto
> 50 g de roquette
> Sel et poivre du moulin

Pour servir
> Quelques feuilles de basilic

Pour 4 personnes • Préparation : 20 min • Trempage : 12 h • Cuisson : 1 h • Difficulté : 2

1. La veille, mettez les haricots à tremper dans un saladier d'eau chaude.

2. Le jour même, égouttez les haricots et mettez-les dans une grande casserole d'eau froide. Portez à ébullition. Couvrez et laissez mijoter 1 heure.

3. Pendant ce temps, hachez l'ail. Mettez l'huile à chauffer dans une casserole à feu moyen. Faites sauter l'ail avec le piment en poudre dans l'huile pendant 2 minutes. Émincez le prosciutto, ajoutez-le dans la poêle et prolongez la cuisson de 2 minutes. Égouttez les haricots en réservant 25 cl d'eau de cuisson. Incorporez les haricots à la préparation et réchauffez le tout, en ajoutant un peu d'eau de cuisson, si nécessaire. Assaisonnez, puis ajoutez la roquette et le basilic. Remuez délicatement et servez.

# Salade POIVRONS, HARICOTS & ARTICHAUTS

- 2 poivrons rouges
- 250 g de haricots verts
- 250 g de haricots blancs en conserve
- 400 g de cœurs d'artichaut en conserve
- 4 cuill. à soupe d'huile d'olive vierge extra
- 2 cuill. à soupe de vinaigre de vin blanc
- Sel et poivre du moulin

Pour servir
- Quelques feuilles de basilic

Pour 4 personnes • Préparation : 30 min • Cuisson : 15 min • Difficulté : 1

1. Allumez le gril du four à température maximale. Posez les poivrons sur une plaque de cuisson et enfournez sous le gril pour 15 minutes en les retournant régulièrement. Mettez-les dans un sac en plastique et laissez reposer pendant 10 minutes.

2. Pendant ce temps, coupez les haricots verts en petits tronçons. Faites-les cuire dans une casserole d'eau bouillante salée de 5 à 7 minutes. Égouttez-les, rincez-les sous l'eau froide, puis réservez-les.

3. Pelez les poivrons. Épépinez-les, puis égouttez-les sur du papier absorbant et coupez-les en lamelles.

4. Égouttez les haricots blancs et les cœurs d'artichaut. Réunissez-les dans un grand saladier avec les haricots verts, les lamelles de poivron, l'huile et le vinaigre. Salez, poivrez et remuez bien. Garnissez de basilic, puis servez.

Servez cette salade en entrée ou en guise de déjeuner, accompagnée de fromage frais allégé.

# Salade CHAMPIGNONS, KIWIS & NOISETTES

- 80 g de noisettes
- 4 tranches de pain
- 1 gousse d'ail
- 4 cuill. à soupe d'huile d'olive vierge extra
- 12 champignons de Paris
- 250 g de salades mélangées
- 150 g de parmesan en copeaux
- 2 kiwis mûrs
- Sel et poivre du moulin

Pour 4 personnes • Préparation : 20 min • Cuisson : 10 min • Difficulté : 1

1. Préchauffez le four à 200 °C (therm. 6-7). Répartissez les noisettes sur une plaque de cuisson. Enfournez pour 5 minutes, puis laissez légèrement refroidir.

2. Ôtez la croûte du pain et coupez sa mie en dés. Écrasez légèrement l'ail. Mettez 2 cuillerées à soupe d'huile à chauffer dans une petite poêle, puis faites sauter les dés de pain et l'ail à feu moyen pendant 5 minutes. Égouttez sur du papier absorbant, puis jetez l'ail.

3. Émincez les champignons et mettez-les dans un grand saladier avec la salade verte. Arrosez du reste de l'huile. Salez, poivrez, puis mélangez le tout.

4. Répartissez la salade dans quatre assiettes et parsemez de parmesan. Pelez les kiwis, puis tranchez-les. Ajoutez-les dans les assiettes avec les noisettes et les croûtons, puis servez.

Si cette recette vous plaît, vous aimerez aussi...

Salade de POMMES AU YAOURT

Salade FROMAGE, POIRES & KIWIS

Salade RIZ, POMMES & NOIX

# Salade grecque POIVRONS & ARTICHAUTS

- › 2 poivrons rouges
- › 90 g d'amandes
- › 150 g de feta
- › 250 g de cœurs d'artichaut en conserve
- › 150 g de pousses d'épinards
- › 50 g d'olives noires dénoyautées

**Pour la sauce**
- › 12,5 cl d'huile d'olive vierge extra
- › 4 cuill. à soupe de jus de citron
- › 2 cuill. à café de miel
- › 2 cuill. à café d'origan haché
- › Sel et poivre du moulin

**Pour servir (facultatif)**
- › Pain pita

Pour 4 à 6 personnes • Préparation : 15 min • Repos : 10 min • Cuisson : 15 min • Difficulté : 2

1. Allumez le gril du four. Mettez les poivrons sur une plaque de cuisson, enfournez et laissez-les griller en les retournant régulièrement jusqu'à ce qu'ils soient noirs. Mettez-les dans un sac en plastique et laissez reposer pendant 10 minutes. Pendant ce temps, faites griller les amandes à sec dans une petite poêle antiadhésive à feu moyen pendant 3 minutes. Coupez la feta en dés et les cœurs d'artichaut en deux, puis mettez-les dans un grand saladier avec les amandes, les épinards et les olives. Épluchez les poivrons, épépinez-les, puis égouttez-les sur du papier absorbant et coupez-les en lamelles.

2. Préparez la sauce. Dans un petit saladier, fouettez l'huile avec le jus de citron, le miel et l'origan. Salez et poivrez.

3. Versez la sauce sur la salade, puis remuez le tout. Servez éventuellement avec du pain pita.

# Salade **GRECQUE**

- › 2 concombres
- › 4 tomates mûres fermes
- › 2 oignons rouges
- › 150 g de feta
- › 50 g d'olives noires
- › Sel et poivre du moulin

Pour la vinaigrette
- › 5 cuill. à soupe d'huile d'olive vierge extra
- › 2 cuill. à soupe de vinaigre balsamique

Pour servir
- › Quelques feuilles d'origan

Pour 4 personnes • Préparation : 10 min • Difficulté : 1

1. Tranchez finement les concombres et détaillez les tomates en morceaux. Pelez les oignons et coupez-les en quartiers, puis émiettez la feta. Réunissez ces ingrédients dans un grand saladier avec les olives.

2. Préparez la vinaigrette. Dans un bol, fouettez l'huile avec le vinaigre.

3. Versez la vinaigrette sur la salade, puis assaisonnez et remuez délicatement le tout. Garnissez d'origan et servez.

Comme beaucoup des salades présentées dans ce livre,
cette recette est facile à adapter à d'autres ingrédients.
Si ce n'est pas la saison des kiwis, remplacez-les par d'autres
fruits ou supprimez-les et augmentez la quantité de poires.
N'hésitez pas à varier les ingrédients en fonction de vos goûts :
le plaisir de cuisiner, c'est aussi y mettre sa touche personnelle !

**36**

# Salade FROMAGE, POIRES & KIWIS

> 3 kiwis mûrs
> 3 grosses poires mûres
> 350 g de fontina ou d'édam
> 150 g de salades mélangées
> 50 g de raisins secs de Smyrne

**Pour la vinaigrette**
> 6 cuill. à soupe d'huile d'olive vierge extra
> 3 cuill. à soupe de vinaigre balsamique
> Sel et poivre du moulin

Pour 4 personnes • Préparation : 15 min • Difficulté : 1

1. Pelez les kiwis. Épluchez les poires, puis épépinez-les. Déchirez les feuilles de salade en deux ou trois morceaux. Coupez les fruits et le fromage en petits dés, puis réunissez-les dans un grand saladier, avec la salade verte et les raisins secs.

2. Préparez la vinaigrette. Dans un bol, fouettez l'huile avec le vinaigre. Salez et poivrez.

3. Versez la vinaigrette sur la salade. Remuez bien et servez.

Si cette recette vous plaît, vous aimerez aussi…

**8**

Salade **POIRES,
PECORINO & MIEL**

**65**

Salade **ÉPEAUTRE,
POMMES & GORGONZOLA**

**69**

Salade **SEMOULE
& POMMES**

# RÉMOULADE

Pour 6 personnes • Préparation : 20 min •
Réfrigération : 30 min • Difficulté : 2

> 500 g de céleri-rave
> 1 petit oignon rouge
> 1 ciboule
> 3 cuill. à soupe de jus de citron

Pour la sauce
> 2 cuill. à soupe de moutarde
> 4 cuill. à soupe d'huile d'olive
vierge extra

> 1 cuill. à soupe de crème
fraîche liquide
> 2 cuill. à soupe de menthe
hachée
> Sel et poivre du moulin

Pour servir
> Roquette

1. Huilez six ramequins de 25 cl. Pelez le céleri-rave
et râpez-le. Pelez l'oignon et hachez-le avec la ciboule.
Réunissez ces ingrédients dans un grand saladier,
arrosez-les de jus de citron et mélangez.

2. Préparez la sauce. Mettez la moutarde dans un bol.
Incorporez lentement l'huile au fouet jusqu'à l'obtention
d'une crème épaisse. Ajoutez la crème fraîche
et la menthe, puis versez le tout sur les légumes.

3. Assaisonnez la préparation, puis répartissez-la
dans les ramequins et réservez au réfrigérateur
pendant 30 minutes. Démoulez les ramequins
dans des assiettes et servez avec de la roquette.

# Salade HARICOTS & ASPERGES

Pour 6 personnes • Préparation : 20 min • Cuisson : 4 min •
Difficulté : 1

> 250 g haricots verts équeutés
> 250 g de fèves fraîches
> 16 asperges
> 150 g de pois gourmands
> 400 g de haricots rouges
en conserve
> 250 g de feta
> 15 olives noires dénoyautées
> Sel et poivre du moulin

Pour la vinaigrette
> 25 g de basilic
> 2 cuill. à soupe de vinaigre
de vin blanc
> 6 cuill. à soupe d'huile d'olive
vierge extra
> 1 gousse d'ail

Pour servir
> 5 feuilles de basilic

1. Faites cuire les haricots verts, les fèves et les asperges
dans une casserole d'eau bouillante salée pendant
4 minutes. Ajoutez les pois gourmands à la moitié
du temps de cuisson. Égouttez le tout et laissez
refroidir. Pendant ce temps, égouttez les haricots
rouges. Coupez la feta en dés, puis réunissez-les
dans un saladier avec les légumes et les olives.

2. Préparez la vinaigrette. Rassemblez tous
les ingrédients dans le bol d'un robot, puis mixez-les.

3. Arrosez la salade de vinaigrette. Remuez,
puis parsemez de basilic et servez.

# Salade LENTILLES & FINES HERBES

Pour 6 personnes • Préparation : 20 min •
Cuisson : 30 à 40 min • Difficulté : 1

> 1 gousse d'ail
> 150 g de lentilles vertes
> 50 g de cresson
> 3 cuill. à soupe de persil
haché
> 3 cuill. à soupe de basilic
haché
> 2 cuill. à soupe de roquette
hachée

> 5 cuill. à soupe d'huile d'olive
vierge extra
> 1 cuill. à soupe de vinaigre
de xérès ou de vin rouge
> 60 g de pecorino
en copeaux
> Sel et poivre du moulin

Pour servir
> Quartiers de citron

1. Pelez l'ail et rincez les lentilles, puis réunissez le tout
dans une casserole. Couvrez d'eau froide et portez
à ébullition. Laissez mijoter de 30 à 40 minutes.

2. Pendant ce temps, hachez la moitié du cresson
et mettez-la dans un saladier avec le persil, le basilic
et la roquette. Égouttez les lentilles et jetez l'ail.
Incorporez 4 cuillerées à soupe d'huile et le vinaigre
aux lentilles. Assaisonnez, puis ajoutez le mélange
d'herbes et de salades. Remuez le tout. Incorporez
le reste du cresson et le pecorino à la préparation.

3. Répartissez la salade dans six assiettes. Arrosez
du reste de l'huile et servez avec des quartiers de citron.

# Salade ENDIVES & ABRICOTS

Pour 4 personnes • Préparation : 30 min • Réfrigération : 2h •
Difficulté : 2

> 90 g de gorgonzola
> 90 g de fromage frais
> 2 endives
> 12 champignons de Paris
> 4 abricots secs réhydratés
> 2 cuill. à café de jus de citron
> Sel et poivre du moulin

Pour la vinaigrette
> 1 cuill. à café de moutarde
de Dijon
> 1 cuill. à soupe de vinaigre
de vin blanc
> 3 cuill. à soupe de crème
aigre (ou crème fraîche
additionnée de quelques
gouttes de jus de citron)
> 1 filet de jus de citron

1. Dans un saladier, fouettez ensemble les fromages
jusqu'à l'obtention d'un mélange homogène. Effeuillez
les endives et jetez leurs cœurs. Tartinez de fromage
l'intérieur de chaque feuille. Reconstituez les endives,
enveloppez-les de film alimentaire et réservez-les
2 heures au réfrigérateur. Pendant ce temps, tranchez
les champignons et hachez les abricots, puis réunissez
le tout dans un saladier. Arrosez de jus de citron.
Salez et poivrez.

2. Préparez la vinaigrette. Dans un bol, fouettez tous
les ingrédients. Déballez les endives. Coupez-les
en rondelles et disposez-les sur quatre assiettes. Ajoutez
la salade aux abricots, nappez de vinaigrette et servez.

# Salades de riz, pâtes & Cie

## Salade PÂTES & POIVRONS RÔTIS

> 2 courgettes
> 500 g de farfalle
>   ou autres petites pâtes
> 12,5 cl d'huile d'olive vierge extra
> 1 gros poivron jaune
> 1 gros poivron rouge
> 1 cuill. à soupe de câpres
>   en saumure
> Le zeste de 1 citron non traité
> 150 g de feta
> 2 cuill. à soupe de basilic haché
> Sel

Pour servir
> Quelques feuilles de basilic

Pour 4 personnes • Préparation : 20 min • Cuisson : 20 à 25 min • Difficulté : 2

1. Coupez les courgettes en petits dés. Faites cuire les pâtes al dente dans une grande casserole d'eau bouillante salée en ajoutant les courgettes dans l'eau 3 minutes avant la fin du temps de cuisson. Égouttez et rincez le tout sous l'eau froide. Égouttez de nouveau. Transférez le mélange dans un grand saladier de service. Ajoutez 2 cuillerées à soupe d'huile d'olive et remuez.

2. Allumez le gril du four. Posez les poivrons sur une plaque de cuisson, puis enfournez jusqu'à ce qu'ils soient noirs. Mettez-les dans un sac en plastique et laissez reposer 10 minutes.

3. Pendant ce temps, rincez les câpres. Hachez finement le zeste de citron, puis émiettez la feta. Pelez les poivrons et coupez-les en lamelles.

4. Rassemblez tous les ingrédients dans le saladier avec le basilic haché, du sel et le reste de l'huile, puis mélangez. Ajoutez des feuilles de basilic et servez.

Si cette recette vous plaît, vous aimerez aussi...

Salade d'AUBERGINE ÉPICÉE

Salade PÂTES & LÉGUMES D'ÉTÉ GRILLÉS

Salade PÂTES, AUBERGINE & PIGNONS DE PIN

# Salade PÂTES, YAOURT & AVOCATS

> 500 g de farfalle
> ou autres petites pâtes
> 1 gros oignon
> 2 gousses d'ail
> 4 cuill. à soupe d'huile d'olive
> vierge extra
> 1 cuill. à soupe de vin blanc sec
> 2 avocats mûrs
> Le jus de 1 citron
> 2 cuill. à soupe de câpres
> en saumure
> 1 piment rouge
> 1 cœur de céleri
> 3 cuill. à soupe de persil haché
> Sel et poivre du moulin

Pour la sauce
> 25 cl de yaourt entier
> 2 cuill. à soupe d'huile d'olive
> vierge extra

Pour 4 à 6 personnes • Préparation : 15 min • Cuisson : 10 à 15 min • Difficulté : 1

1. **Faites cuire** les pâtes al dente dans une casserole d'eau bouillante salée. Pendant ce temps, pelez l'oignon et l'ail, puis hachez-les. Mettez 2 cuillerées à soupe d'huile à chauffer dans une poêle à feu moyen et faites dorer l'oignon et l'ail pendant 4 minutes. Ajoutez le vin, faites cuire jusqu'à ce qu'il soit évaporé, puis laissez refroidir.

2. **Égouttez** les pâtes et rincez-les sous l'eau froide. Égouttez-les bien, puis mettez-les dans un saladier. Ajoutez le reste d'huile et remuez. Coupez les avocats en deux, ôtez la peau et le noyau, puis détaillez la chair en dés et arrosez-les de jus de citron. Rincez les câpres, émincez le piment et le céleri, puis ajoutez-les dans le saladier avec l'avocat, l'ail, l'oignon et le persil.

3. **Préparez** la sauce. Dans un bol, fouettez le yaourt avec l'huile. Nappez la salade de sauce, assaisonnez, remuez et servez.

# Salade PÂTES, TOMATES & FETA

- 750 g de tomates cerises
- 1 petit oignon rouge
- 1 gousse d'ail
- 250 g de feta
- Le zeste de 1 citron non traité
- 6 cuill. à soupe d'huile d'olive vierge extra
- 1 cuill. à soupe de basilic haché
- 1 cuill. à soupe de menthe hachée
- 500 g de penne ou autres petites pâtes
- 100 g d'olives noires dénoyautées
- Sel et poivre du moulin

Pour servir
- Quelques feuilles de basilic

Pour 4 à 6 personnes • Préparation : 15 min • Repos : 30 min • Cuisson : 15 min • Difficulté : 1

1. Coupez les tomates cerises en quatre. Pelez l'oignon, émincez-le, puis pelez l'ail et hachez-le. Détaillez la feta en petits dés. Réunissez ces ingrédients dans un grand saladier. Hachez le zeste du citron, puis ajoutez-le dans le saladier avec l'huile, le basilic et la menthe. Remuez délicatement, assaisonnez et laissez reposer 30 minutes.

2. Pendant ce temps, faites cuire les pâtes al dente dans une grande casserole d'eau bouillante salée. Égouttez-les, puis rincez-les sous l'eau froide. Égouttez-les de nouveau.

3. Ajoutez les pâtes et les olives dans le saladier, puis remuez. Garnissez de basilic et servez.

**43**

**44**

Pour relever le goût de la tapenade, vous pouvez ajouter une gousse d'ail. La tapenade aux olives noires se marie à merveille avec les pâtes. Elle est facile à préparer mais, si vous manquez de temps, vous pouvez la remplacer dans cette recette par une tapenade prête à l'emploi.

# Salade PÂTES, TAPENADE & LÉGUMES

› 500 g de pâtes en spirale (fusilli) ou autres petites pâtes
› 250 g de haricots verts
› 100 g de salades mélangées
› 16 tomates cerises
› 1 poivron jaune

Pour la tapenade

› 1 piment rouge
› 200 g de grosses olives noires dénoyautées
› 1 bouquet de persil
› 6 cuill. à soupe d'huile d'olive vierge extra

Pour 4 à 6 personnes • Préparation : 15 min • Cuisson : 10 à 15 min • Difficulté : 1

1. Faites cuire les pâtes al dente dans une grande casserole d'eau bouillante salée. Environ 5 minutes avant la fin du temps de cuisson, ajoutez les haricots verts dans l'eau. Égouttez le tout, puis rincez sous l'eau froide. Égouttez de nouveau.

2. Préparez la tapenade. Épépinez le piment, puis mettez-le dans le bol d'un robot avec les olives, le persil et l'huile. Mixez jusqu'à l'obtention d'une préparation granuleuse. Versez la moitié de la tapenade sur les pâtes et réservez le reste dans un bol.

3. Répartissez la salade verte au fond d'un grand plat. Ajoutez les pâtes. Coupez les tomates cerises en deux. Épépinez le poivron, puis détaillez-le en morceaux. Disposez le tout sur la préparation et servez avec le reste de tapenade.

Si cette recette vous plaît, vous aimerez aussi...

31
Salade POIVRONS, HARICOTS & ARTICHAUTS

38
Salade FÈVES & ASPERGES

46
Salade de PÂTES AUX POIVRONS

# Salade de PÂTES AU FROMAGE

Pour 4 à 6 personnes • Préparation : 15 min •
Cuisson : 10 à 15 min • Difficulté : 1

› 500 g de fusilli
  ou autres petites pâtes
› 1 piment rouge
› 500 g de tomates cerises
› 6 cuill. à soupe d'huile d'olive
  vierge extra

› 2 cuill. à soupe de feuilles
  de basilic
› 150 g d'emmental
› 50 g de pousses de roquette
› Sel

1.  Faites cuire les pâtes al dente dans une grande
    casserole d'eau bouillante salée. Égouttez-les,
    puis rincez-les sous l'eau froide. Égouttez-les
    de nouveau.

2.  Épépinez le piment et hachez-le. Coupez
    les tomates cerises en petits morceaux,
    puis réunissez ces ingrédients dans un grand
    saladier avec l'huile et le basilic. Remuez et salez.

3.  Incorporez les pâtes à la salade. Détaillez l'emmental
    en lamelles et disposez-les sur la préparation,
    puis ajoutez la roquette. Remuez délicatement
    l'ensemble et servez.

# Salade PÂTES & THON

Pour 4 à 6 personnes • Préparation : 15 min •
Marinade : 30 min • Cuisson : 10 à 15 min • Difficulté : 2

› 400 g de thon sans la peau
  et sans arêtes
› 20 olives noires dénoyautées
› Le jus de 1 citron
› 12 cuill. à soupe d'huile
  d'olive vierge extra

› 2 gousses d'ail
› 500 g de tomates
› 500 g de conchiglie
  ou autres petites pâtes
› 1 cuill. à soupe de basilic
› Sel et poivre du moulin

1.  Hachez le thon et les olives. Mettez-les dans
    un saladier avec le jus de citron et de 4 cuillerées
    à soupe d'huile, puis laissez mariner 30 minutes.

2.  Mettez 4 cuillerées à soupe d'huile à chauffer
    dans une poêle à feu moyen. Pilez l'ail et faites-le
    sauter 2 minutes dans la poêle. Laissez refroidir,
    puis jetez l'ail. Hachez les tomates et ajoutez-les
    au thon avec l'huile parfumée à l'ail, du sel et du poivre.

3.  Faites cuire les pâtes al dente dans une casserole
    d'eau bouillante salée. Égouttez-les, puis rincez-les
    sous l'eau froide. Égouttez-les de nouveau.

4.  Transférez les pâtes dans le saladier, arrosez du reste
    de l'huile d'olive, incorporez la préparation au thon
    et le basilic aux pâtes, puis servez.

# Salade de PÂTES AUX POIVRONS

Pour 4 à 6 personnes • Préparation : 15 min •
Réfrigération : 1h • Cuisson : 10 à 15 min • Difficulté : 1

› 500 g de fusilli
  ou autres petites pâtes
› 120 g de jambon maigre
› 1 poivron rouge
› 1 poivron vert
› 2 cuill. à soupe de ciboulette
  ciselée

Pour la vinaigrette

› 6 cuill. à soupe d'huile d'olive
  vierge extra
› 2 cuill. à soupe de vinaigre
  de vin blanc
› 1/2 cuill. à café de sucre
  en poudre
› 1 cuill. à café de curry
  en poudre
› Sel et poivre du moulin

1.  Faites cuire les pâtes al dente dans une grande
    casserole d'eau bouillante salée. Égouttez-les,
    puis rincez-les sous l'eau froide. Égouttez-les
    de nouveau. Coupez le jambon en lamelles.
    Épépinez les poivrons, hachez-les, puis mettez-les
    dans un saladier avec les pâtes, le jambon
    et la ciboulette.

2.  Préparez la vinaigrette. Dans un bol, fouettez l'huile
    avec le vinaigre, le sucre et le curry. Salez et poivrez.

3.  Versez la vinaigrette sur la salade et remuez le tout.
    Réservez au réfrigérateur pendant 1 heure et servez.

# Salade PÂTES & JAMBON

Pour 4 à 6 personnes • Préparation : 20 min •
Cuisson : 10 à 15 min • Difficulté : 1

› 3 courgettes
› 2 carottes
› 500 g de farfalle
  ou autres petites pâtes
› 2 cuill. à soupe d'huile d'olive
  vierge extra
› 250 g de jambon
› Sel du moulin

Pour la vinaigrette

› 7 cuill. à soupe d'huile d'olive
  vierge extra
› 3 cuill. à soupe de vinaigre
  de vin rouge
› 2 cuill. à soupe de jus de citron
› 2 cuill. à soupe de basilic
  ciselé
› 1 cuill. à café de poivre blanc
  moulu

1.  Coupez les courgettes et les carottes en fines lamelles.
    Faites cuire les pâtes al dente dans une grande
    casserole d'eau bouillante salée. Trois minutes avant
    la fin du temps de cuisson, ajoutez les courgettes
    et les carottes dans la casserole. Égouttez le tout,
    puis rincez sous l'eau froide. Égouttez de nouveau.
    Transférez le tout dans un plat. Nappez d'huile,
    puis remuez. Détaillez le jambon en fines lamelles
    et ajoutez-les dans le plat.

2.  Préparez la vinaigrette. Dans un bol, fouettez
    tous les ingrédients et assaisonnez.

3.  Arrosez la salade de vinaigrette, mélangez et servez.

# Salade PÂTES, POULET & ÉPINARDS

> 500 g de penne
>   ou autres petites pâtes
> 1 oignon
> 1 gousse d'ail
> 30 g de beurre
> 300 g de poulet cuit
> 12,5 cl de bouillon de volaille
> 60 g de pignons de pin
> 100 g de pousses d'épinards
> Sel et poivre du moulin

Pour 4 à 6 personnes • Préparation : 15 min • Cuisson : 10 à 15 min • Difficulté : 1

1. **Faites cuire** les pâtes al dente dans une grande casserole d'eau bouillante salée. Égouttez-les, puis rincez-les sous l'eau froide. Égouttez-les de nouveau.

2. **Pelez** l'oignon et l'ail, puis hachez le tout. Faites fondre le beurre dans une sauteuse et faites revenir l'ail et l'oignon pendant 3 ou 4 minutes. Coupez le poulet en lamelles, puis ajoutez-les dans la sauteuse avec le bouillon de volaille. Laissez mijoter 5 minutes, puis réservez.

3. **Faites griller** les pignons à sec dans une poêle antiadhésive. Mettez les pâtes dans un grand saladier. Ajoutez la préparation à base de poulet, les épinards, les pignons de pin, du sel et du poivre, remuez, puis servez.

# Salade PÂTES & LÉGUMES D'ÉTÉ GRILLÉS

> 1 poivron rouge
> 1 poivron jaune
> 1 grosse aubergine
> 2 grosses courgettes
> 4 tomates mûres
> 250 g de mozzarella
> 2 cuill. à soupe de basilic haché
> 6 cuill. à soupe d'huile d'olive vierge extra
> 500 g de fusilli ou autres petites pâtes
> Sel et poivre du moulin

Pour 4 à 6 personnes • Préparation : 30 min • Cuisson : 30 min • Difficulté : 2

1. Épépinez les poivrons, puis tranchez finement tous les légumes. Mettez à chauffer un gril à feu moyen, puis faites griller les tranches de poivrons, d'aubergine, de courgettes et de tomates pendant quelques minutes. Réunissez les légumes dans un plat. Coupez la mozzarella en dés, puis ajoutez-les à la préparation. Parsemez de basilic. Salez, poivrez, puis arrosez d'huile.

2. Faites cuire les pâtes al dente dans une grande casserole d'eau bouillante salée. Égouttez-les, puis rincez-les sous l'eau froide. Égouttez-les de nouveau. Ajoutez les pâtes dans le plat, mélangez délicatement et servez.

Le thon en conserve est un aliment nutritif riche en protéines, vitamines B6 et B12 et phosphore. Choisissez un thon au naturel afin de limiter le taux de matières grasses de votre salade.

# Salade PÂTES, THON & TOMATES CERISES

- 250 g de thon en conserve
- 500 g de tomates cerises
- 100 g d'olives noires dénoyautées
- 1 gousse d'ail
- 2 ciboules
- 2 tiges de céleri-branche
- 1 carotte
- 6 cuill. à soupe d'huile d'olive vierge extra
- 1 cuill. à café d'origan séché
- 500 g de conchiglie ou autres petites pâtes
- 2 cuill. à soupe de persil haché
- 2 cuill. à soupe de feuilles de basilic
- Sel et poivre du moulin

Pour 4 à 6 personnes • Préparation : 20 min • Réfrigération : 1h • Cuisson : 10 à 15 min • Difficulté : 1

1. Égouttez le thon, puis émiettez-le. Coupez les tomates cerises en deux. Hachez les olives et l'ail, puis émincez les ciboules et le céleri. Détaillez la carotte en petits morceaux. Réunissez tous ces ingrédients dans un saladier, puis arrosez d'huile. Salez, poivrez, et saupoudrez d'origan. Mélangez l'ensemble, couvrez de film alimentaire et réservez 1 heure au réfrigérateur.

2. Pendant ce temps, faites cuire les pâtes al dente dans une grande casserole d'eau bouillante salée. Égouttez-les, puis rincez-les sous l'eau froide. Égouttez-les de nouveau.

3. Mettez les pâtes dans un saladier de service. Ajoutez la préparation à base de thon. Remuez, parsemez de persil et de basilic, puis servez.

Si cette recette vous plaît, vous aimerez aussi...

Salade PÂTES & THON

Salade RIZ, THON & AVOCAT

Salade ORGE, THON & MOZZARELLA

# Salade PÂTES, ARTICHAUTS & PARMESAN

- 500 g de penne
  ou autres petites pâtes
- 8 petits artichauts
- Le jus de 1 citron
- 6 cuill. à soupe d'huile d'olive
  vierge extra
- 150 g de parmesan en copeaux
- Sel et poivre du moulin

Pour 4 à 6 personnes • Préparation : 20 min • Cuisson : 10 à 15 min • Difficulté : 2

1. Faites cuire les pâtes al dente dans une casserole d'eau bouillante salée. Égouttez-les, puis rincez-les sous l'eau froide. Égouttez-les de nouveau.

2. Ôtez les feuilles externes des artichauts, la tige et le tiers supérieur des feuilles. Coupez chaque artichaut en deux dans le sens de la longueur, retirez le foin, puis tranchez finement le reste. Arrosez de jus de citron et d'huile.

3. Mettez les pâtes dans un saladier. Ajoutez les artichauts, le parmesan, du sel et du poivre. Remuez et servez.

# Salade PÂTES, AUBERGINE & PIGNONS DE PIN

- 1 grosse aubergine
- Gros sel
- 2 gros poivrons jaunes
- 500 g de ditalini rigate ou autres petites pâtes
- 25 cl d'huile pour la friture
- 1 oignon
- 2 gousses d'ail
- 4 cuill. à soupe d'huile d'olive vierge extra
- 2 cuill. à soupe de pignons de pin
- 2 cuill. à soupe de câpres en saumure
- 100 g d'olives vertes dénoyautées
- 1 petit bouquet de basilic
- 2 cuill. à soupe de persil haché
- 1 cuill. à soupe d'origan haché
- Sel

Pour 4 à 6 personnes • Préparation : 30 min • Dégorgement : 1h • Cuisson : 20 à 30 min • Difficulté : 2

1. Tranchez l'aubergine et mettez-la dans une passoire. Saupoudrez de gros sel, puis laissez dégorger 1 heure.

2. Pendant ce temps, allumez le gril du four. Posez les poivrons sur une plaque de cuisson, puis enfournez et laissez griller jusqu'à ce qu'ils soient noirs. Mettez-les dans un sac en plastique et laissez reposer 10 minutes.

3. Faites cuire les pâtes al dente dans une casserole d'eau bouillante salée. Égouttez-les, puis rincez-les sous l'eau froide. Égouttez-les de nouveau. Pelez les poivrons, puis détaillez-les en dés avec les tranches d'aubergine. Mettez l'huile de friture à chauffer dans une sauteuse et faites frire l'aubergine 5 minutes. Égouttez-la sur du papier absorbant. Pelez l'oignon et l'ail, puis hachez-les. Mettez 2 cuillerées à soupe d'huile d'olive à chauffer dans une poêle à feu doux et faites revenir l'ail et l'oignon 15 minutes avec 1 pincée de sel. Faites griller les pignons de pin à sec dans une poêle antiadhésive. Rincez les câpres et hachez les olives. Réunissez tous les ingrédients dans un plat, remuez et servez.

**54**

Dans cette recette, vous pouvez remplacer le riz complet par le même poids de pâtes complètes, d'orge perlé, d'épeautre ou de quinoa. Le résultat sera tout aussi délicieux. Si vous souhaitez apporter une touche sucrée à l'ensemble, incorporez 2 ou 3 cuillerées à soupe de raisins secs, de gingembre confit, de mangue ou d'ananas à la salade.

# Salade RIZ, POMMES & NOIX

- › 350 g de riz complet
- › 1 cuill. à soupe d'huile d'olive vierge extra
- › 2 pommes vertes bio (type granny smith)
- › 24 cerneaux de noix
- › 150 g de gruyère ou d'emmental

Pour la sauce
- › 2 gousses d'ail
- › 5 cuill. à soupe d'huile d'olive vierge extra
- › Le jus de 1 citron
- › 1 cuill. à soupe de miel
- › Sel et poivre du moulin

Pour servir
- › 3 cuill. à soupe de persil haché

Pour 4 personnes • Préparation : 15 min • Repos : 30 min • Cuisson : 35 à 40 min • Difficulté : 1

1. Faites cuire le riz de 35 à 40 minutes dans 2 l d'eau bouillante salée. Égouttez-le bien, puis transférez-le dans un grand saladier. Ajoutez l'huile, remuez et laissez refroidir 30 minutes.

2. Pendant ce temps, coupez les pommes et les cerneaux de noix en petits morceaux. Détaillez le fromage en petits dés, puis ajoutez ces ingrédients dans le saladier et mélangez le tout.

3. Préparez la sauce. Pelez l'ail et hachez-le. Mettez-le dans un bol avec l'huile, le jus de citron, le miel, du sel et du poivre, puis fouettez l'ensemble. Versez la sauce sur la salade de riz. Parsemez de persil et servez.

Si cette recette vous plaît, vous aimerez aussi...

Salade de POMMES AU YAOURT

Salade ROQUETTE, POMME & PARMESAN

Salade ÉPEAUTRE, POMMES & GORGONZOLA

# Salade RIZ COMPLET, LÉGUMES & FROMAGE

- 300 g de riz complet
- 4 cuill. à soupe d'huile d'olive vierge extra
- 400 g de haricots verts équeutés
- 1 concombre
- 150 g de fontina ou d'édam
- 20 tomates cerises
- 1 bouquet de persil
- 2 cuill. à soupe de coriandre hachée
- 2 cuill. à soupe de jus de citron
- Sel et poivre du moulin

Pour 4 personnes • Préparation : 20 min • Repos : 30 min • Cuisson : 35 à 40 min • Difficulté : 1

1. Faites cuire le riz de 35 à 40 minutes dans 2 l d'eau bouillante salée. Égouttez-le bien, puis transférez-le dans un grand saladier. Ajoutez 1 cuillerée à soupe d'huile, remuez, puis laissez refroidir pendant 30 minutes.

2. Dans une casserole d'eau bouillante salée, faites cuire les haricots verts 5 minutes. Égouttez-les et laissez-les refroidir. Pelez le concombre. Coupez-le en fines tranches et mettez-les dans une passoire. Saupoudrez de sel et laissez dégorger 15 minutes.

3. Pendant ce temps, coupez le fromage en dés et les tomates en deux. Hachez le persil. Réunissez ces ingrédients dans un saladier avec le riz, les haricots verts et la coriandre, puis remuez le tout. Arrosez de jus de citron et du reste d'huile. Assaisonnez, mélangez et servez.

# Salade RIZ, THON & AVOCAT

- › 400 g de riz rond
- › 1 avocat
- › 4 cuill. à soupe d'huile d'olive vierge extra
- › 350 g de thon en conserve
- › 1 poignée de roquette
- › 250 g de petites boules de mozzarella
- › 2 cuill. à soupe de persil haché
- › Le jus de 1 citron
- › Sel

Pour 6 personnes • Préparation : 15 min • Cuisson : 15 min • Difficulté : 1

1. Faites cuire le riz dans 2 l d'eau bouillante salée pendant 15 minutes.

2. Pendant ce temps, coupez l'avocat en deux. Ôtez la peau et le noyau, puis tranchez finement la chair et réservez. Égouttez le riz, puis rincez-le sous l'eau froide. Égouttez de nouveau, mettez-le dans un saladier, puis ajoutez 1 cuillère à soupe d'huile et remuez.

3. Égouttez le thon, puis émiettez-le dans le saladier et ajoutez l'avocat, la roquette, la mozzarella et le persil.

4. Dans un bol, fouettez le jus de citron avec du sel et le reste de l'huile. Versez le mélange sur la salade, puis remuez délicatement et servez.

**58**

Pauvres en graisses et en calories, les crevettes constituent une bonne source de protéines, de vitamine B12, de fer et de phosphore. Vous pouvez également préparer cette salade avec du riz complet.

# Salade RIZ, CREVETTES & ROQUETTE

- › 400 g de riz rond
- › 750 g de crevettes crues
- › Le jus de 1½ citron
- › 6 cuill. à soupe d'huile d'olive vierge extra
- › 4 cuill. à soupe de roquette hachée
- › Sel et poivre blanc moulu

Pour 4 à 6 personnes • Préparation : 15 min • Repos : 15 min • Cuisson : 15 min • Difficulté : 1

1. Faites cuire le riz 15 minutes dans 2 l d'eau bouillante salée. Pendant ce temps, faites cuire les crevettes 4 minutes avec 3/4 du jus de citron dans 1,5 l d'eau bouillante salée. Égouttez les crevettes et laissez refroidir.

2. Égouttez le riz, puis rincez-le sous l'eau froide. Égouttez-le de nouveau.

3. Décortiquez les crevettes en conservant l'extrémité de la queue et en jetant la tête. Rincez-les sous l'eau froide, puis transférez-les dans un saladier avec 4 cuillerées à soupe d'huile.

4. Ajoutez le riz dans le saladier et assaisonnez. Arrosez avec le reste du jus de citron et de l'huile, puis mélangez délicatement. Incorporez la roquette à la préparation et servez sans attendre.

Si cette recette vous plaît, vous aimerez aussi...

75

Salade **CREVETTES & RIZ NOIR**

82

Salade **CREVETTES & CITRONNELLE**

83

Salade **CREVETTES & AVOCATS**

# Salade RIZ & ABRICOTS SECS

- 100 g de riz sauvage
- 100 g de riz complet
- 100 g de riz basmati
- 8 à 12 abricots secs
- 120 g de cerneaux de noix
- 4 cuill. à soupe de ciboulette ciselée
- 2 cuill. à soupe de persil haché

Pour la vinaigrette

- 3 cuill. à soupe d'huile de noix
- 3 cuill. à soupe d'huile d'olive vierge extra
- 2 cuill. soupe de vinaigre de vin blanc
- 1 cuill. à soupe de jus de citron
- 1/2 cuill. à café de sucre roux
- 1 cuill. café de moutarde de Dijon
- Sel et poivre du moulin

Pour 4 personnes • Préparation : 20 min • Repos : 30 min • Cuisson : 35 à 40 min • Difficulté : 1

1. Faites cuire les trois types de riz dans trois casseroles d'eau bouillante salée. Égouttez et laissez refroidir 30 minutes.

2. Pendant ce temps, hachez les abricots et les noix. Réunissez-les dans un saladier avec les trois sortes de riz, la ciboulette et le persil, puis mélangez.

3. Préparez la vinaigrette. Dans un bol, fouettez tous les ingrédients ensemble.

4. Versez la vinaigrette sur la salade. Remuez délicatement et servez.

# Salade RIZ SAUVAGE & FRUITS SECS

- 400 g de riz sauvage
- 2 oranges non traitées
- 8 à 10 abricots secs
- 80 g de pistaches salées grillées
- 3 cuill. à soupe de coriandre hachée

Pour la sauce

- 6 cuill. à soupe d'huile d'olive vierge extra
- 2 cuill. à soupe de jus de citron vert
- 1/2 cuill. à café de sucre roux
- 1 cuill. à café de moutarde de Dijon
- Sel et poivre du moulin

Pour 4 à 6 personnes • Préparation : 20 min • Refroidissement : 30 min • Cuisson : 40 min • Difficulté : 1

1. **Faites cuire** le riz dans une grande casserole d'eau bouillante salée pendant 40 minutes. Égouttez-le et laissez-le refroidir 30 minutes. Pendant ce temps, râpez finement le zeste des oranges. Pelez les oranges à vif, puis détaillez-les en lamelles au-dessus d'un saladier. Hachez les abricots. Mettez-les dans le saladier avec le zeste des oranges, le riz, les pistaches et la coriandre.

2. **Préparez la sauce.** Dans un bol, fouettez l'huile avec le jus de citron, le sucre et la moutarde, puis assaisonnez.

3. **Versez** la sauce sur la salade. Remuez délicatement et servez.

L'orge perlé, cuit à la vapeur et poli, a une texture moelleuse et un délicieux petit goût de noisette. Riche en fer et en fibres, il est souvent employé pour faire des soupes, mais est également succulent en salade.

# Salade ORGE, THON & MOZZARELLA

- › 350 g d'orge perlé
- › 24 tomates cerises
- › 1 oignon rouge
- › 250 g de thon en conserve
- › 150 g de boules de mozzarella
- › 4 cuill. à café d'huile d'olive vierge extra
- › Sel et poivre du moulin

Pour servir
- › 1 poignée de feuilles de basilic

Pour 6 à 8 personnes • Préparation : 20 min • Réfrigération : 1h • Cuisson : 35 à 40 minutes • Difficulté : 1

1. Faites cuire l'orge de 35 à 40 minutes dans une grande casserole d'eau bouillante salée. Égouttez-le, puis rincez-le sous l'eau froide. Égouttez-le de nouveau et mettez-le dans un grand saladier.

2. Coupez les tomates cerises en deux. Pelez l'oignon et hachez-le, puis égouttez le thon. Ajoutez ces ingrédients dans le saladier avec la mozzarella. Salez, poivrez, puis remuez le tout. Arrosez d'huile et remuez de nouveau. Parsemez de basilic, puis servez.

Si cette recette vous plaît, vous aimerez aussi...

Salade PÂTES, THON & TOMATES CERISES

Salade RIZ, THON & AVOCAT

Salade THON & HARICOTS ROUGES

# Salade BOULGHOUR, TOMATES & FETA

> 300 g de boulghour
> 120 g de cerneaux de noix
> 1 oignon rouge
> 24 tomates cerises
> 120 g de feta
> 2 cuill. à soupe de menthe hachée
> 1 cuill. à café de sel
> 6 cuill. à soupe d'huile d'olive vierge extra
> 2 cuill. à soupe de jus de citron vert

Pour servir
> Quelques feuilles de menthe

Pour 4 à 6 personnes • Préparation : 20 min • Trempage : 15 min • Réfrigération : 15 min • Difficulté : 1

1. **Mettez** le boulghour dans un saladier. Couvrez-le d'eau chaude et laissez-le tremper 15 minutes. Égouttez-le bien.

2. **Hachez** les cerneaux de noix. Pelez l'oignon, puis émincez-le. Coupez les tomates cerises en deux et la feta en dés. Réunissez ces ingrédients dans un grand saladier avec le boulghour, les cerneaux de noix, la menthe hachée et le sel. Remuez, puis arrosez d'huile et de jus de citron vert. Réservez 15 minutes au réfrigérateur.

3. **Parsemez** de feuilles de menthe, puis servez.

# Salade ÉPEAUTRE, POMMES & GORGONZOLA

> 400 g d'épeautre ou d'orge perlé
> 2 pommes granny smith bio
> 150 g de gorgonzola
> 100 g de pousses de roquette

Pour la vinaigrette
> 12,5 cl d'huile d'olive vierge extra
> 2 cuill. à soupe de vinaigre de vin blanc
> 3 cuill. à soupe de miel
> Sel et poivre du moulin

Pour 8 personnes • Préparation : 20 min • Repos : 30 min • Cuisson : 45 min • Difficulté : 1

1. Préparez la salade. Faites cuire l'épeautre 45 minutes dans une grande casserole d'eau bouillante salée. Pendant ce temps, évidez les pommes, puis coupez-les en petits morceaux avec le gorgonzola. Égouttez l'épeautre, transférez-le dans un saladier et laissez refroidir 30 minutes.

2. Préparez la vinaigrette. Dans un bol, fouettez l'huile avec le vinaigre, le miel, 1 pincée de sel et du poivre.

3. Réunissez tous les ingrédients dans le saladier avec la roquette. Arrosez de vinaigrette, remuez et servez.

Cette recette est née dans la campagne toscane, au cœur de l'Italie, à une époque où le pain était précieux et ne se jetait pas. Servez-la en guise de repas léger ou en entrée, avant un repas composé de viande rôtie et de légumes. Elle se marie très bien avec un verre de vin rouge.

# PANZANELLA (salade toscane de pain)

> 500 g de pain dur de la veille, de préférence sans sel
> 4 tomates mûres
> 1 gros concombre
> 1 oignon rouge
> 2 cuill. à soupe de basilic haché
> 6 cuill. à soupe d'huile d'olive vierge extra
> 2 cuill. à soupe de vinaigre de vin rouge
> Sel et poivre du moulin

Pour servir
> Quelques feuilles de basilic

Pour 4 à 6 personnes • Préparation : 20 min • Repos : 2 h • Difficulté : 1

1. Coupez le pain en tranches épaisses ou brisez-le en petits morceaux. Mettez-les à tremper dans un saladier d'eau froide pendant 5 minutes. Égouttez-les dans une passoire, puis pressez-les délicatement pour en extraire le maximum d'eau.

2. Coupez les tomates en petits quartiers. Épluchez le concombre et tranchez-le finement. Pelez l'oignon, puis émincez-le. Réunissez ces ingrédients dans un saladier. Ajoutez le pain, le basilic, l'huile, le vinaigre, du sel et du poivre. Mélangez, puis laissez reposer 2 heures à température ambiante.

3. Parsemez de feuilles de basilic et servez.

Si cette recette vous plaît, vous aimerez aussi...

Salade PÂTES, TOMATES, FETA

Salade de PÂTES AU FROMAGE

FATTOUSH (salade de pain du Proche-Orient)

# Salade SEMOULE & AUBERGINES

> 2 aubergines
> 12,5 cl d'huile d'olive vierge extra
> 300 g de semoule de couscous
> 75 cl d'eau bouillante
> 2 ciboules
> 2 cuill. à soupe de basilic haché
> 4 tomates mûres
> 2 cuill. à soupe de coriandre hachée
> 125 g de ricotta ou de parmesan râpé
> Sel et poivre du moulin

Pour servir
> Quelques feuilles de basilic

Pour 4 à 6 personnes • Préparation : 15 min • Repos : 10 min • Cuisson : 5 à 10 min • Difficulté : 1

1. Coupez les aubergines en dés. Mettez 4 cuillerées à soupe d'huile à chauffer dans une sauteuse à feu moyen. Faites revenir les aubergines dans l'huile de 5 à 10 minutes, puis arrêtez le feu. Salez, poivrez et réservez.

2. Dans un grand saladier, réunissez la semoule, l'eau et 1 cuillerée à soupe d'huile. Salez, remuez, puis laissez reposer 10 minutes. Égrenez à l'aide d'une fourchette. Émincez les ciboules, puis incorporez-les à la semoule avec le basilic.

3. Hachez finement les tomates. Transférez la semoule dans un saladier. Ajoutez les tomates, les dés d'aubergines, la coriandre et le fromage râpé. Arrosez du reste d'huile. Parsemez de feuilles de basilic et servez.

# Salade SEMOULE & POMMES

- › 300 g de semoule de couscous
- › 75 cl d'eau bouillante
- › 4 cuill. à soupe d'huile d'olive vierge extra
- › 2 pommes vertes bio
- › 250 g d'asiago (fromage italien de lait de vache), de cheddar ou d'emmental
- › 1 piment rouge
- › Le jus de 1/2 citron
- › 1 ou 2 cuill. à café de gingembre râpé
- › 2 ou 3 cuill. à soupe de persil haché
- › Sel

Pour 4 à 6 personnes • Préparation : 15 min • Repos : 10 min • Difficulté : 1

1. Dans un grand saladier, réunissez la semoule, l'eau et 1 cuillerée à soupe d'huile. Salez, puis mélangez et laissez reposer 10 minutes. Égrenez à l'aide d'une fourchette.

2. Évidez les pommes, puis coupez-les en dés avec le fromage. Épépinez le piment et hachez-le. Transférez la semoule dans un plat de service. Ajoutez les dés de pommes et de fromage, le reste de l'huile et le jus du demi-citron. Salez, puis mélangez le tout. Parsemez de gingembre, de piment et de persil. Remuez de nouveau, puis servez.

## Salade POMMES DE TERRE & ŒUFS

Pour 4 à 6 personnes • Préparation : 15 min • Repos : 15 min • Cuisson : 15 à 20 min • Difficulté : 1

> 750 g de pommes de terre nouvelles
> 2 cuill. à soupe d'huile d'olive vierge extra
> 8 tranches de prosciutto
> 3 ciboules
> 4 à 6 œufs durs

> 2 cuill. à soupe de persil haché
> Sel et poivre du moulin

**Pour la sauce**

> 125 g de mayonnaise
> 2 cuill. à soupe de jus de citron
> 2 cuill. à café de moutarde

1. Tranchez les pommes de terre, puis faites-les cuire de 10 à 15 minutes dans une grande casserole d'eau bouillante salée. Égouttez-les et laissez-les refroidir 15 minutes.

2. Pendant ce temps, mettez l'huile à chauffer dans une poêle. Faites revenir le prosciutto dans l'huile pendant 5 minutes, puis coupez chaque tranche en 2 ou 3 morceaux. Émincez les ciboules. Écalez les œufs et coupez-les en quatre. Réunissez tous les ingrédients dans un grand saladier avec le persil, puis mélangez l'ensemble.

3. Préparez la sauce. Dans un bol, fouettez la mayonnaise avec le jus de citron et la moutarde. Salez et poivrez. Versez sur la salade, puis servez.

## Salade de POMMES DE TERRE NOUVELLES

Pour 4 à 6 personnes • Préparation : 15 min • Repos : 15 min • Cuisson : 15 à 20 min • Difficulté : 1

> 1 kg de pommes de terre nouvelles
> 1 bouquet de ciboulette

**Pour la sauce**

> 125 g de yaourt entier

> 1 cuill. à soupe de sauce au raifort
> 4 cuill. à soupe d'huile d'olive vierge extra

1. Faites cuire les pommes de terre de 10 à 15 minutes dans une grande casserole d'eau bouillante salée. Égouttez et laissez refroidir 15 minutes.

2. Pendant ce temps, préparez la sauce. Dans un grand saladier, fouettez le yaourt avec la sauce au raifort et l'huile.

3. Ajoutez les pommes de terre dans le saladier et remuez délicatement. Ciselez la ciboulette au-dessus du saladier. Mélangez de nouveau, puis servez.

## Salade POMMES DE TERRE & CHORIZO

Pour 4 personnes • Préparation : 15 min • Repos : 15 min • Cuisson : 15 à 20 min • Difficulté : 1

> 500 g de pommes de terre fermes
> 250 g de chorizo
> 1 salade trévise

> 4 œufs durs
> 20 cl de mayonnaise allégée

1. Coupez les pommes de terre en tranches épaisses, puis faites-les cuire de 10 à 15 minutes dans une grande casserole d'eau bouillante salée. Égouttez et laissez refroidir 15 minutes.

2. Pendant ce temps, tranchez finement le chorizo dans le sens de la longueur, puis faites-le cuire à sec dans une grande poêle antiadhésive à feu vif pendant 4 ou 5 minutes.

3. Effeuillez la trévise. Écalez les œufs durs, puis coupez-les en deux. Réunissez ces ingrédients dans un grand saladier avec les pommes de terre et le chorizo. Remuez.

4. Ajoutez la mayonnaise. Remuez délicatement et servez aussitôt.

## Salade de POMMES DE TERRE AU CITRON

Pour 4 à 6 personnes • Préparation : 15 min • Repos : 30 min • Réfrigération : 1h • Cuisson : 20 à 25 min • Difficulté : 1

> 6 pommes de terre
> 2 ciboules
> 2 cuill. à soupe de persil haché

**Pour la sauce**

> 1 gousse d'ail
> Le jus de 1 citron
> 12,5 cl d'huile d'olive vierge extra

1. Faites cuire les pommes de terre de 20 à 25 minutes dans une grande casserole d'eau bouillante salée. Égouttez, puis laissez refroidir 30 minutes.

2. Pendant ce temps, préparez la sauce. Pelez l'ail et hachez-le. Mettez-le dans un bol avec le jus de citron et l'huile, puis battez le tout au fouet.

3. Hachez les ciboules. Épluchez les pommes de terre et coupez-les en petits dés. Dans un grand saladier, mélangez-les avec les ciboules et le persil.

4. Versez la sauce sur les pommes de terre et remuez. Réservez au réfrigérateur pendant au moins 1 heure, puis servez.

Au Proche-Orient, cette recette se prépare avec du pain pita de la veille, coupé en petits morceaux et mélangé avec des légumes et des fines herbes de saison. N'hésitez pas à l'adapter en fonction des ingrédients dont vous disposez. La poudre de sumac est une épice traditionnelle au goût de citron qui s'achète dans les épiceries orientales.

# FATTOUSH (salade de pain du Proche-Orient)

> Quelques pains pitas rassis
> 1 concombre
> 3 tomates fermes mûres
> 1 oignon
> 2 gousses d'ail
> 1 petit bouquet de persil
> 1 petit bouquet de menthe
> 1 petit bouquet de coriandre
> Le jus de 2 citrons
> 12,5 cl d'huile d'olive vierge extra
> 1 cuill. à café de sumac en poudre (voir introduction)
> Sel et poivre du moulin

Pour servir
> Les graines de 1 grenade

Pour 4 à 6 personnes • Préparation : 25 min • Cuisson : 5 à 10 min • Difficulté : 1

1. Préchauffez le four à 180 °C (therm. 6). Coupez les pains pitas en petits morceaux et disposez-les sur une plaque de cuisson. Enfournez et laissez cuire de 5 à 10 minutes.

2. Détaillez le concombre et les tomates en petits dés. Pelez l'oignon et l'ail, puis hachez le tout. Ciselez le persil, la menthe et la coriandre. Réunissez ces ingrédients dans un grand saladier et mélangez l'ensemble. Arrosez de jus de citron et d'huile. Remuez de nouveau. Salez, poivrez, puis ajoutez le sumac.

3. Parsemez de graines de grenade et servez.

Si cette recette vous plaît, vous aimerez aussi...

Salade **ORANGES & CRESSON**

Salade **BOULGHOUR, TOMATES & FETA**

**PANZANELLA** (salade toscane de pain)

# Salades de la mer

## Salade CREVETTES & RIZ NOIR

- 400 g de riz noir
- 350 g de crevettes crues décortiquées
- 20 tomates cerises
- 2 cuill. à soupe d'huile d'olive vierge extra
- 1 petit bouquet de persil
- Sel et poivre du moulin

Pour la marinade
- 1/2 citron non traité
- 1 ciboule
- 2 gousses d'ail
- 2 cuill. à soupe d'huile d'olive vierge extra

Pour 6 personnes • Préparation : 30 min • Cuisson : 40 à 45 min • Marinade : 15 min • Difficulté : 2

1. Faites cuire le riz de 40 à 45 minutes dans 2 l d'eau bouillante salée.

2. Pendant ce temps, préparez la marinade. Pressez le demi-citron, puis réservez son jus. Prélevez le zeste et coupez-le en lamelles. Émincez la ciboule. Pelez l'ail, puis hachez-le. Réunissez tous les ingrédients dans un plat et mélangez-les avec l'huile. Ajoutez les crevettes. Poivrez, puis mélangez et laissez mariner 15 minutes.

3. Coupez les tomates cerises en deux. Mettez l'huile à chauffer dans une poêle à feu vif. Faites revenir les tomates 2 minutes dans l'huile. Assaisonnez, puis ajoutez les crevettes et leur marinade. Prolongez la cuisson de 2 ou 3 minutes.

4. Rincez le riz à l'eau froide, puis égouttez-le bien. Mettez-le dans un grand saladier et répartissez le contenu de la poêle par-dessus. Ciselez le persil et parsemez-en le plat, puis servez.

Si cette recette vous plaît, vous aimerez aussi...

Salade RIZ, THON & AVOCAT

Salade RIZ, CREVETTES & ROQUETTE

Salade ORGE, THON & MOZZARELLA

# Salade SAUMON & POIS CHICHES

> 1 oignon rouge
> 250 g de saumon en conserve
> 400 g de pois chiches
en conserve
> 2 concombres
> 150 g de pousses d'épinards
> Sel et poivre du moulin

Pour la sauce
> 12,5 cl de yaourt entier
> 2 cuill. à soupe de jus de citron
> 1 cuill. à soupe de tahini (pâte
de sésame, au rayon « produits du
monde » des grandes surfaces)
> 1 cuill. à soupe de ciboulette
hachée

Pour 2 à 4 personnes • Préparation : 10 min • Difficulté : 1

1. Pelez l'oignon, puis émincez-le. Égouttez le saumon
et les pois chiches. Coupez les concombres en deux
dans le sens de la longueur, puis en tranches. Émiettez
le saumon. Réunissez ces ingrédients dans un grand
saladier. Ajoutez les épinards, mélangez, puis assaisonnez
le tout.

2. Préparez la sauce. Dans un petit saladier, fouettez
le yaourt avec le jus de citron, le tahini et la ciboulette.

3. Répartissez la salade dans des assiettes.
Nappez de sauce et servez.

# Salade THON & HARICOTS ROUGES

- ⟩ 250 g de thon en conserve
- ⟩ 400 g de haricots rouges en conserve
- ⟩ 1 oignon rouge
- ⟩ 2 cuill. à soupe de persil haché
- ⟩ 1 cuill. à soupe de coriandre hachée
- ⟩ 1 petite laitue

Pour la sauce
- ⟩ 4 cuill. à soupe d'huile d'olive vierge extra
- ⟩ 2 cuill. à café de moutarde de Dijon
- ⟩ Le jus de 1 citron
- ⟩ Sel et poivre du moulin

Pour 2 à 4 personnes • Préparation : 10 min • Difficulté : 1

1. Égouttez le thon, puis émiettez-le dans un saladier à l'aide d'une fourchette. Égouttez les haricots rouges. Pelez l'oignon, puis émincez-le. Ajoutez ces ingrédients dans le saladier avec le persil et la coriandre. Mélangez bien le tout. Effeuillez la laitue. Disposez les feuilles sur un plat de service, puis répartissez la préparation par-dessus.

2. Préparez la sauce. Dans un bol, fouettez l'huile avec la moutarde, le jus de citron, du sel et du poivre. Versez la sauce sur la salade, puis servez.

Les salades de fruits de mer constituent des repas particulièrement sains. En fonction de leur composition, elles sont généralement pauvres en calories, mais riches en protéines maigres, en acides gras oméga-3.

# Salade de FRUITS DE MER

- › 500 g de moules
- › 400 g de petits poulpes nettoyés
- › 2 cuill. à soupe d'huile d'olive vierge extra
- › 1 cuill. à soupe de vinaigre de vin blanc
- › 400 g de filets de poisson blanc ferme (type cabillaud ou bar)
- › 1 gros oignon
- › 2 gousses d'ail
- › 400 g de crevettes
- › 1 tige de céleri-branche
- › 400 g de haricots cannellini en conserve

Pour la sauce
- › 1 cuill. à soupe de jus de citron
- › 2 cuill. à soupe d'huile d'olive vierge extra
- › Sel

Pour 4 à 6 personnes • Préparation : 30 min • Trempage : 1h • Cuisson : 40 à 50 min • Difficulté : 2

1. Mettez les moules à tremper 1 heure dans de l'eau froide.

2. Pendant ce temps, faites cuire les poulpes 30 minutes à feu moyen dans une casserole avec 50 cl d'eau bouillante salée, 1 cuillerée à soupe d'huile et le vinaigre. Égouttez-les, puis émincez-les. Faites cuire le poisson 4 minutes à la vapeur et laissez-le refroidir. Pelez l'oignon. Émincez-le et faites-le tremper 10 minutes dans de l'eau froide, puis égouttez-le. Pilez l'ail. Mettez le reste de l'huile à chauffer dans une casserole à feu moyen. Faites cuire les crevettes avec l'ail 2 minutes. Décortiquez les crevettes et laissez-les refroidir. Hachez le céleri, puis égouttez les haricots.

3. Ébarbez les moules et faites-les cuire 10 minutes dans une casserole à feu moyen. Jetez celles qui sont restées fermées. Décortiquez les moules, puis mettez-les dans un grand saladier avec tous les autres ingrédients.

4. Préparez la sauce. Dans un bol, fouettez tous les ingrédients. Versez la sauce sur la salade, puis servez.

Si cette recette vous plaît, vous aimerez aussi...

Salade SAINT-JACQUES, CREVETTES & ROQUETTE

Salade FRUITS DE MER & PAMPLEMOUSSE

Salade FRUITS DE MER & POMMES DE TERRE

# Salade SAUMON & AVOCATS

Pour 4 personnes • Préparation : 10 à 15 min • Cuisson : 5 min • Difficulté : 1

> 2 cuill. à soupe de graines de sésame
> 2 avocats mûrs
> 250 g de pousses d'épinards
> 350 g de saumon fumé en tranches

Pour la sauce

> 4 cuill. à soupe de mirin (vin de riz doux, au rayon « produits du monde » des grandes surfaces)
> 4 cuill. à soupe de sauce soja
> 2 cuill. à soupe d'huile végétale
> 1 cuill. à soupe de sucre en poudre

1. Faites griller les graines de sésame à sec dans une poêle antiadhésive 2 minutes à feu moyen. Ôtez du feu et réservez.

2. Préparez la sauce. Dans une petite casserole, mélangez le mirin avec la sauce soja, l'huile et le sucre. Portez à ébullition à feu moyen en remuant jusqu'à dissolution du sucre. Faites bouillir 1 minute, puis laissez légèrement refroidir.

3. Coupez les avocats en deux. Ôtez la peau et le noyau, puis tranchez la chair. Répartissez les épinards et les morceaux d'avocat dans les assiettes. Ajoutez le saumon, puis arrosez de sauce. Parsemez de graines de sésame grillées et servez sans attendre.

# Salade THON & LÉGUMES RÔTIS

Pour 4 personnes • Préparation : 20 min • Cuisson : 20 min • Difficulté : 1

> 2 oignons rouges
> 1 poivron jaune
> 1 poivron rouge
> 500 g de tomates cerises
> 1 cuill. à soupe de vinaigre balsamique
> 2 cuill. à soupe d'huile d'olive vierge extra
> 100 g d'olives noires dénoyautées
> 400 g de thon en conserve
> Sel et poivre du moulin

1. Préchauffez le four à 230 °C (therm. 7-8). Pelez les oignons, puis coupez-les en quartiers. Épépinez les poivrons et détaillez-les en lamelles. Réunissez ces ingrédients dans un grand plat à rôtir avec les tomates cerises. Arrosez de vinaigre balsamique et de 1 cuillerée à soupe d'huile. Assaisonnez, puis enfournez pour 20 minutes.

2. Répartissez les légumes rôtis et les olives dans un plat de service. Égouttez le thon, puis émiettez-le au-dessus de la préparation. Arrosez du reste de l'huile et servez aussitôt.

# Salade de THON CRU

Pour 6 personnes • Préparation : 10 à 15 min • Difficulté : 1

> 750 g de thon albacore
> 2 avocats
> 4 cuill. à soupe de jus de citron
> 2 cuill. à soupe de câpres en saumure
> 150 g de cresson

1. Parez le thon et ôtez les arêtes. Coupez sa chair en dés de 2 cm de côté et mettez-les dans un saladier.

2. Coupez les avocats en deux. Ôtez la peau et le noyau, détaillez la chair en dés de 2 cm de côté, puis ajoutez-les dans le saladier avec le jus de citron. Rincez les câpres, ajoutez-les dans le saladier, puis remuez délicatement.

3. Répartissez la salade de thon et le cresson dans six assiettes, puis servez aussitôt.

# Ceviche à la MANGUE

Pour 4 personnes • Préparation : 15 min • Réfrigération : 1h • Difficulté : 1

> 1 kg de filets de poisson blanc ferme (type vivaneau, mérou ou cabillaud)
> 1 grosse mangue
> 3 petits piments rouges
> Le jus de 8 citrons verts
> 1 cuill. à soupe de zeste de citron vert non traité haché
> Sel

Pour servir

> Quelques feuilles de persil plat

1. Détaillez le poisson en dés de 2 cm de côté. Pelez la mangue et coupez sa chair en dés. Épépinez les piments, puis hachez-les. Réunissez ces ingrédients dans un saladier. Ajoutez le jus et le zeste de citron vert, puis remuez le tout.

2. Couvrez le saladier et réservez-le au réfrigérateur pendant 1 heure.

3. Salez selon votre goût, parsemez de persil, puis servez.

# Salade CREVETTES & CITRONNELLE

> 1 kg de grosses crevettes crues décortiquées
> 2 concombres
> 2 ciboules
> 25 g de coriandre fraîche
> 25 g de menthe fraîche

Pour la marinade
> 2 tiges de citronnelle
> 2 petits piments rouges
> 12,5 cl de jus de citron vert
> 3 cuill. à soupe d'huile d'arachide
> 1½ cuill. à soupe de sucre roux
> 2 cuill. soupe de sauce nuoc-mâm

Pour servir
> 60 g de cacahuètes grillées

Pour 6 personnes • Préparation : 25 min • Marinade : 10 min • Cuisson : 5 à 10 min • Difficulté : 2

1. Préparez la marinade. Émincez la citronnelle et les piments. Réunissez-les dans un saladier avec le jus de citron, l'huile, le sucre et la sauce nuoc-mâm. Fouettez, puis réservez 4 cuillerées de marinade dans un bol. Ajoutez les crevettes dans le saladier. Remuez, puis laissez mariner 10 minutes.

2. Pendant ce temps, huilez un gril et faites-le chauffer à feu vif. Faites cuire les crevettes 3 minutes en les remuant régulièrement et en procédant en plusieurs fois. Transférez les crevettes dans un plat et réservez au chaud.

3. Tranchez finement les concombres. Émincez les ciboules. Réunissez le tout dans un plat avec la coriandre et la menthe, puis mélangez. Ajoutez la marinade réservée et remuez. Répartissez cette préparation et les crevettes dans six assiettes. Parsemez de cacahuètes et servez.

# Salade CREVETTES & AVOCATS

> 1 petite salade romaine
> 2 avocats
> 24 grosses crevettes cuites décortiquées

Pour la sauce
> Le jaune de 1 gros œuf
> 1 cuill. à café de moutarde de Dijon
> 12,5 cl de l'huile d'olive vierge extra
> 2 cuill. à café de jus de citron
> 2 cuill. à soupe d'aneth hachée
> 4 cuill. à café de crème aigre (ou crème fraîche additionnée de quelques gouttes de jus de citron)
> Sel et poivre du moulin

Pour 4 personnes • Préparation : 10 min • Difficulté : 2

1. Préparez la sauce. Faites cuire le jaune d'œuf avec la moutarde au bain-marie à feu doux en les fouettant à l'aide d'un batteur électrique jusqu'à ce que le mélange pâlisse. Incorporez lentement l'huile à la préparation et continuez à battre jusqu'à ce que le mélange épaississe. Ajoutez le jus de citron et l'aneth, puis incorporez la crème aigre à la vinaigrette. Salez et poivrez.

2. Effeuillez la romaine. Coupez les avocats en deux. Ôtez la peau et le noyau, puis tranchez la chair. Répartissez la salade, les crevettes et les avocats dans des assiettes. Arrosez de sauce, puis servez.

Pour un goût plus acidulé, vous pouvez arroser cette salade de 2 cuillerées à soupe de jus de citron vert avant de servir. La recette qui suit permet de préparer un déjeuner léger pour deux ou une entrée pour quatre.

# Salade SAINT-JACQUES, CREVETTES & ROQUETTE

- 12 grosses crevettes crues sans tête
- 1 gousse d'ail
- 4 cuill. à soupe d'huile d'olive vierge extra
- 6 noix de saint-jacques
- 12 tomates cerises
- 150 g de roquette
- Sel et poivre du moulin

Pour 2 à 4 personnes • Préparation : 15 min • Cuisson : 4 à 6 min • Difficulté : 1

1. Faites cuire les crevettes dans une grande casserole d'eau bouillante salée pendant 2 ou 3 minutes. Égouttez-les, laissez-les refroidir, puis décortiquez-les et retirez la veine noire.

2. Pelez l'ail, puis écrasez-le légèrement. Mettez 2 cuillerées à soupe d'huile à chauffer dans une casserole à feu moyen. Ajoutez l'ail et les noix de saint-jacques, puis laissez cuire 2 ou 3 minutes.

3. Coupez les tomates cerises en quatre. Répartissez la roquette dans des assiettes. Ajoutez les crevettes, les noix de saint-jacques et les quarts de tomate. Salez, poivrez, puis arrosez avec le reste de l'huile. Servez aussitôt.

Si cette recette vous plaît, vous aimerez aussi…

Salade **CREVETTES & CITRONNELLE**

Salade **CREVETTES & AVOCATS**

Cocktail **CREVETTES & MANGUES**

# Cocktail CREVETTES & MANGUES

> 20 cl de mayonnaise
> 4 cuill. à soupe de jus de citron vert
> 2 mangues
> 750 g de crevettes cuites, décortiquées et déveinées
> 1 petite salade romaine

Pour 4 personnes • Préparation : 15 min • Difficulté : 1

1. Dans un grand saladier, mélangez la mayonnaise avec le jus de citron vert. Pelez les mangues, puis coupez leur chair en dés. Ajoutez-les dans le saladier avec les crevettes et remuez le tout.

2. Effeuillez la romaine, puis détaillez les feuilles en gros morceaux et répartissez-les dans quatre assiettes.

3. Ajoutez la préparation à base de crevettes et servez.

# Salade NIÇOISE

- 6 tomates mûres fermes
- Gros sel
- 1 poivron rouge
- 200 g de thon à l'huile en conserve
- 3 échalotes
- 3 tiges de céleri-branche
- 100 g de salades mélangées
- 8 olives noires dénoyautées
- 8 filets d'anchois à l'huile
- 2 œufs durs

Pour la vinaigrette
- 12 cl d'huile d'olive vierge extra
- 2 cuill. à soupe de vinaigre de vin blanc
- Sel et poivre du moulin

Pour 4 personnes • Préparation : 20 min • Dégorgement : 1h • Difficulté : 1

1. Coupez chaque tomate en 8 morceaux. Mettez-les dans une passoire, puis saupoudrez-les de gros sel et laissez dégorger pendant 1 heure.

2. Pendant ce temps, épépinez le poivron, puis coupez-le en lamelles. Égouttez le thon, puis émiettez-le. Pelez les échalotes et hachez-les avec le céleri. Répartissez les salades mélangées dans quatre assiettes. Ajoutez les tomates, le poivron, le thon, les échalotes et le céleri.

3. Entourez chaque olive d'un filet d'anchois. Écalez les œufs durs, puis coupez-les en quatre. Répartissez ces ingrédients dans les assiettes.

4. Préparez la vinaigrette. Dans un bol, fouettez l'huile avec le vinaigre. Salez et poivrez. Versez la vinaigrette sur la salade, puis servez.

Cette salade, pauvre en calories, mais riche en nutriments, est idéale pour un déjeuner léger.

# Salade FRUITS DE MER & PAMPLEMOUSSE

› 12 grosses crevettes crues décortiquées
› 20 palourdes
› 1 pamplemousse
› 100 g de roquette
› 6 champignons de Paris

Pour la sauce
› 1 filet de jus du pamplemousse
› 6 cuill. à soupe d'huile d'olive vierge extra
› Sel et poivre du moulin

Pour 2 personnes • Préparation : 25 min • Cuisson : 12 à 15 min • Difficulté : 2

1. Faites cuire les crevettes dans une grande casserole d'eau bouillante salée pendant 2 ou 3 minutes. Égouttez et laissez refroidir.

2. Rincez les palourdes, jetez toutes celles qui ne se referment pas quand on les tape d'un coup sec, puis faites cuire les autres de 5 à 10 minutes dans une casserole à feu vif. Jetez celles qui sont restées fermées et décortiquez les autres.

3. Pelez le pamplemousse à vif, puis détaillez sa pulpe en segments en recueillant son jus dans un bol. Répartissez la roquette dans deux assiettes. Émincez les champignons, puis ajoutez-les avec le pamplemousse, les crevettes et les palourdes.

4. Préparez la sauce. Fouettez l'huile avec le jus du pamplemousse. Salez, poivrez et fouettez le tout. Versez la sauce sur la salade, puis servez.

Si cette recette vous plaît, vous aimerez aussi...

Salade PAMPLEMOUSSE, ÉPINARDS & PARMESAN

Salade de FRUITS DE MER

Cocktail CREVETTES & MANGUES

# Salade CRABE & FENOUIL

> 1 gros bulbe de fenouil
> 250 g de chair de crabe
> 100 g de salades mélangées

Pour la sauce
> 2 grosses tomates
> 5 cuill. à soupe d'huile d'olive vierge extra
> 4 cuill. à soupe de crème fraîche liquide
> 1 cuill. à soupe de vinaigre de vin blanc
> 1 cuill. à café d'estragon haché
> 1 filet de Worcestershire sauce
> 1 pincée de sucre en poudre
> 1 morceau de concombre de 5 cm
> Sel et poivre du moulin

Pour servir
> 1 cuill. à soupe de ciboulette ciselée
> Quelques pincées de paprika

Pour 2 personnes • Préparation : 15 min • Difficulté : 1

1. **Préparez** la sauce. Mettez les tomates dans un saladier et couvrez-les d'eau bouillante. Laissez-les reposer 30 secondes. Pelez-les, épépinez-les, puis coupez-les en petits dés. Dans un bol, fouettez l'huile avec la crème fraîche, le vinaigre, l'estragon, la Worcestershire sauce, le sucre, du sel et du poivre. Pelez le concombre. Coupez-le en dés, puis incorporez-les à la sauce avec les morceaux de tomates.

2. **Émincez** le fenouil. Mettez-le dans un saladier avec le crabe et incorporez la moitié de la sauce.

3. **Répartissez** les salades mélangées dans des assiettes. Ajoutez la préparation à base de crabe. Arrosez du reste de sauce. Parsemez de ciboulette, saupoudrez de paprika et servez.

# Salade de POULPES GRILLÉS

- › 350 g de petits poulpes
  ou calmars préparés
- › 1 concombre
- › 250 g de tomates cerises
- › 100 g de salades mélangées
- › 50 g de germes de soja

**Pour la marinade**

- › 6 cuill. à soupe de sauce thaïe
  au piment doux
- › 2 cuill. à soupe de jus de citron
  vert
- › 1 cuill. à soupe de nuoc-mâm
- › 1 cuill. à soupe d'huile de sésame

**Pour servir**

- › 25 g de coriandre hachée
- › Quartiers de citron vert

Pour 4 personnes • Préparation : 15 min • Marinade : 4 à 12 h •
Cuisson : 5 à 10 min • Difficulté : 2

1. Préparez la marinade. Dans un bol, fouettez tous
   les ingrédients et réservez.

2. Mettez les poulpes dans un saladier et arrosez-les
   de marinade. Couvrez et laissez mariner au moins 4 heures.

3. Pendant ce temps, pelez le concombre, puis coupez-le
   en rondelles. Répartissez les salades mélangées dans
   quatre assiettes. Coupez les tomates en deux. Ajoutez
   les germes de soja, le concombre et les tomates.

4. Mettez à chauffer un gril à feu vif. Faites cuire les poulpes
   3 minutes en les remuant, puis réservez-les hors du feu.
   Versez la marinade dans une petite casserole et portez
   à ébullition. Répartissez les poulpes dans les assiettes
   et arrosez-les de marinade chaude. Parsemez de coriandre,
   ajoutez des quartiers de citron, puis servez.

Cette salade constitue à elle seule un repas complet et nourrissant.

# Salade FRUITS DE MER & POMMES DE TERRE

- › 2 grosses pommes de terre
- › 350 g de crevettes crues décortiquées
- › 12 moules décortiquées
- › 1 salade romaine
- › 1 tige de céleri-branche
- › 1 calmar cuit
- › 6 à 8 radis
- › Sel et poivre du moulin

Pour la sauce
- › 2 ciboules
- › 12 cl de mayonnaise allégée
- › 2 cuill. à soupe de yaourt entier
- › Le jus de 1 citron
- › 1 cuill. à soupe de persil haché
- › 2 cuill. à soupe d'huile d'olive vierge extra

Pour 4 personnes • Préparation : 20 min • Cuisson : 10 à 13 min • Difficulté : 1

1. Pelez les pommes de terre et tranchez-les. Faites-les cuire de 8 à 10 minutes dans une casserole d'eau bouillante salée, puis égouttez-les.

2. Dans deux casseroles d'eau bouillante légèrement salée, faites cuire séparément les crevettes et les moules pendant 2 ou 3 minutes, puis égouttez-les.

3. Effeuillez la romaine. Tranchez le céleri, le calmar et les radis. Tapissez un plat de service de rondelles de pommes de terre. Ajoutez la romaine, le céleri, puis les fruits de mer. Parsemez de rondelles de radis. Salez et poivrez légèrement.

4. Préparez la sauce. Émincez les ciboules. Mettez-les dans un petit saladier avec les autres ingrédients de la sauce et fouettez le tout. Versez la sauce sur la salade, puis servez.

Si cette recette vous plaît, vous aimerez aussi...

Salade POMMES DE TERRE & ŒUFS

Salade de FRUITS DE MER

Salade FRUITS DE MER & PAMPLEMOUSSE

# Salade LOTTE & CREVETTES

> 125 g de filet de lotte fin
> 1 cuill. à soupe d'huile d'olive vierge extra
> 12 grosses crevettes crues, décortiquées
> 3 cuill. à soupe de vinaigre de xérès
> 1 grosse tomate
> 125 g de beurre
> 2 cuill. à soupe de cerfeuil haché
> 2 endives

Pour la marinade
> 1/2 cuill. à café de poivre noir en grains
> 1/2 cuill. à café de graines de fenouil
> 1/2 cuill. à café de piment en poudre
> 4 cuill. à soupe d'huile d'olive vierge extra
> 1 cuill. à café de sel
> 1 cuill. à soupe de jus de citron

Pour 4 personnes • Préparation : 30 min • Marinade : 1h • Cuisson : 6 min • Difficulté : 2

1. Préparez la marinade. Dans un saladier, écrasez le poivre et les graines de fenouil. Ajoutez le piment, l'huile, le sel et le jus de citron, puis mélangez le tout. Mettez la lotte dans le saladier, enduisez-la de marinade, puis laissez reposer 1 heure.

2. Mettez l'huile à chauffer dans une poêle à feu vif. Retirez le poisson de la marinade. Faites-le cuire 2 minutes de chaque côté, puis réservez-le. Mettez les crevettes dans la poêle, laissez-les cuire 2 minutes, puis réservez-les au chaud. Arrêtez le feu. Versez le vinaigre et la marinade dans la poêle, puis laissez refroidir. Pelez la tomate et coupez-la en dés. Ajoutez-les dans la poêle avec le beurre clarifié et le cerfeuil.

3. Effeuillez les endives, puis répartissez les feuilles dans quatre assiettes. Ajoutez le poisson et les crevettes. Arrosez de marinade, puis servez sans attendre.

# Salade de POISSON AUX ÉPICES

- 24 tomates cerises
- 1 oignon rouge
- 100 g de pousses d'épinards
- 3 cuill. à soupe d'huile d'olive vierge extra
- 4 filets de poisson blanc ferme de 250 g (vivaneau, cabillaud, flétan, merlan, lotte)

Pour le mélange d'épices
- 2 cuill. à soupe de paprika doux
- 1 cuill. à café de piment
- 1 cuill. à café de curcuma en poudre
- 1 cuill. à café d'origan séché
- 1 cuill. à café de thym séché
- 1/2 cuill. à café de poivre noir moulu
- 1 pincée de noix de muscade
- 1 cuill. à café de sucre en poudre
- 1 cuill. à café de sel

Pour la sauce
- 2 cuill. à soupe d'huile d'olive vierge extra
- 2 cuill. à soupe de jus de citron
- 1/2 cuill. à café de moutarde de Dijon

Pour servir
- Quartiers de citron

Pour 4 à 6 personnes • Préparation : 15 min • Cuisson : 4 min • Difficulté : 2

1. Préparez le mélange d'épices. Dans un bol, réunissez ces ingrédients et réservez.

2. Coupez les tomates cerises en deux. Pelez l'oignon, puis émincez-le. Réunissez ces ingrédients dans un saladier avec les épinards. Remuez, puis réservez.

3. Préparez la sauce. Dans un autre bol, fouettez l'huile avec le jus de citron et la moutarde. Versez la sauce sur la salade et mélangez bien le tout.

4. Faites chauffer une grande poêle à feu moyen. Huilez les filets de poisson, roulez-les dans le mélange d'épices, puis faites-les cuire 2 minutes de chaque côté. Servez le poisson chaud avec la salade et des quartiers de citron.

# Salades à base de viande

## Salade de POULET THAÏ

> 2 tiges de citronnelle
> 4 feuilles de citron vert
> 2 piments rouges
> 3 gousses d'ail
> 1 morceau de gingembre de 1 cm
> 4 blancs de poulet sans la peau
> 2 cuill. à soupe d'huile de sésame
> 1 cuill. à café de piment en poudre
> 1 oignon rouge
> 3 cuill. à soupe de sauce nuoc-mâm
> 3 cuill. à soupe de jus de citron vert
> 2 petites salades romaines
> 1 concombre
> 2 cuill. à soupe de basilic haché
> 2 cuill. à soupe de menthe hachée
> 2 cuill. à soupe de coriandre hachée
> 100 g de germes de soja

Pour servir
> Quelques quartiers de citron vert

Pour 4 à 6 personnes • Préparation : 30 min • Cuisson : 15 min • Difficulté : 2

1. Hachez la citronnelle et les feuilles de citron vert, puis épépinez les piments. Pelez l'ail et le gingembre. Mettez ces ingrédients dans le bol d'un robot, puis mixez finement le tout. Réservez dans un petit saladier.

2. Placez les blancs de poulet dans le bol du robot et hachez-les grossièrement. Mettez l'huile à chauffer dans un wok à feu vif. Faites revenir la préparation à base de citronnelle 2 minutes. Ajoutez le poulet et le piment en poudre, puis prolongez la cuisson de 4 minutes.

3. Pendant ce temps, pelez l'oignon et hachez-le. Versez la sauce nuoc-mâm dans le wok, puis laissez mijoter 5 minutes à feu moyen en remuant régulièrement. Ajoutez l'oignon et prolongez la cuisson de 2 minutes. Arrêtez le feu. Arrosez la préparation de jus de citron vert. Effeuillez les romaines. Épépinez le concombre, puis tranchez-le. Ajoutez ces ingrédients dans le wok avec le basilic, la menthe, la coriandre et les germes de soja. Remuez, puis servez avec des quartiers de citron.

Si cette recette vous plaît, vous aimerez aussi...

Salade de DINDE ÉPICÉE

Salade de POULET À L'ORIENTALE

Salade de BŒUF THAÏ

# Salade de POULET AUX LÉGUMES

> 1 petit poireau
> 3 cuill. à soupe d'huile d'olive vierge extra
> 2 blancs de poulet sans la peau
> 2 poivrons jaunes
> 1 petite carotte
> Le zeste finement râpé de 1/2 citron vert non traité
> 1 cuill. à soupe de coriandre hachée
> 1 filet de Worcestershire sauce (ou de Tabasco)
> Sel

Pour 4 personnes • Préparation : 15 min • Cuisson : 12 à 15 min • Difficulté : 1

1. Hachez le poireau. Mettez l'huile à chauffer dans une grande poêle à feu moyen et faites revenir le poireau 4 minutes.

2. Pendant ce temps, émincez le poulet. Épépinez les poivrons, coupez-les en lamelles, puis détaillez la carotte en rondelles. Ajoutez le poulet dans la poêle et faites-le revenir 3 minutes. Incorporez les poivrons et la carotte à la préparation. Salez, puis prolongez la cuisson de 5 minutes en remuant régulièrement. Incorporez le zeste de citron, la coriandre et la Worcestershire sauce à la préparation. Transférez la salade dans un plat de service et servez chaud.

# Salade POULET & MAÏS

> 2 blancs de poulet sans la peau
> 75 g de maïs en conserve
> 150 g de salades mélangées
> 6 cuill. à soupe de cerneaux de noix hachés
> 2 cuill. à soupe de persil haché

Pour la sauce
> 3 cuill. à soupe d'huile d'olive vierge extra
> 1 cuill. à soupe de moutarde à l'ancienne
> Sel

Pour 4 personnes • Préparation : 15 min • Cuisson : 5 à 10 min • Difficulté : 1

1. Faites cuire les blancs de poulet à la vapeur de 5 à 10 minutes. Rincez-les sous l'eau froide, puis égouttez-les sur du papier absorbant. Coupez-les en petits dés. Égouttez bien le maïs.

2. Préparez la sauce. Dans un bol, fouettez l'huile avec la moutarde, puis salez le mélange.

3. Mettez les salades mélangées dans un grand saladier. Ajoutez les autres ingrédients. Arrosez de sauce, puis servez.

Réalisez cette délicieuse recette pour un déjeuner ou pour un dîner équilibré. Vous pouvez préparer le poulet et le brocoli à l'avance et assembler la salade à la dernière minute.

# Salade POULET, FIGUES & BROCOLIS

- 2 blancs de poulet sans la peau
- 45 g de beurre
- 500 g de brocolis
- 300 g de salades mélangées
- 6 figues

Pour la sauce à l'orange
- Le zeste de 1 orange non traitée
- Le zeste de 1 citron non traité
- Le jus de 1/2 orange
- 4 cuill. à soupe d'huile d'olive vierge extra
- Sel et poivre du moulin

Pour 4 personnes • Préparation : 20 min • Repos : 15 min • Cuisson : 10 à 15 min • Difficulté : 1

1. Coupez le poulet en fines tranches. Mettez le beurre à chauffer dans une grande poêle à feu moyen, puis faites revenir le poulet de 5 à 10 minutes. Arrêtez le feu et laissez refroidir 15 minutes.

2. Pendant ce temps, détaillez le brocoli en bouquets, puis faites-les cuire dans une grande casserole d'eau bouillante salée pendant 5 minutes. Égouttez et rincez sous l'eau froide.

3. Préparez la sauce à l'orange. Coupez les zestes d'orange et de citron en lamelles. Réunissez-les dans un bol avec le jus d'orange et l'huile, puis fouettez le tout. Salez et poivrez.

4. Mettez les salades mélangées dans un grand plat. Coupez les figues en quartiers, puis ajoutez-les sur la salade avec les brocolis et le poulet. Arrosez de sauce à l'orange, puis servez.

Si cette recette vous plaît, vous aimerez aussi...

**97**
Salade de POULET
THAÏ

**102**
Salade de POULET
& POIS GOURMANDS

**109**
Salade POULET
& FRUITS

# Salade de DINDE ÉPICÉE

Pour 4 personnes • Préparation : 20 min • Repos : 15 min • Cuisson : 5 à 10 min • Difficulté : 1

> 6 cuill. à soupe de bouillon de volaille
> 3 cuill. à soupe de jus de citron vert
> 2 gousses d'ail
> 1 tige de citronnelle
> 500 g de dinde hachée
> 1 cuill. à soupe de sauce nuoc-mâm

> 1 cuill. à soupe de sucre en poudre
> 2 petits piments rouges
> 3 ciboules
> 25 g de coriandre hachée
> 2 cuill. à soupe de menthe hachée

Pour servir

> Quelques feuilles de laitue

1. Versez le bouillon et le jus de citron dans une poêle. Pelez l'ail, puis hachez-le avec la citronnelle. Incorporez ces ingrédients au bouillon et portez à ébullition à feu vif. Ajoutez la dinde, puis faites revenir 5 minutes à feu doux en émiettant la viande. Versez le nuoc-mâm et le sucre dans la poêle, puis laissez refroidir 15 minutes.

2. Pendant ce temps, épépinez les piments et hachez-les avec les ciboules. Ajoutez-les dans la poêle avec la coriandre et la menthe. Disposez la laitue dans un saladier, répartissez la préparation dessus et servez.

# Salade de POULET FUMÉ

Pour 4 à 6 personnes • Préparation : 20 min • Cuisson : 5 min • Difficulté : 1

> 1 kg de poulet fumé
> 3 tiges de céleri-branche
> 2 ciboules
> 60 g de pousses de pois gourmands
> 2 avocats
> Sel et poivre du moulin

Pour la vinaigrette

> 6 cuill. à soupe de coulis d'airelles
> 3 cuill. à soupe de vinaigre de vin rouge
> 6 cuill. à soupe d'huile d'olive vierge extra

1. Retirez la peau du poulet et détaillez sa chair en lamelles. Émincez le céleri et les ciboules. Réunissez ces ingrédients dans un grand saladier avec les pousses de pois gourmands et mélangez l'ensemble.

2. Préparez la vinaigrette. Mettez le coulis d'airelles à chauffer dans une casserole à feu moyen, puis versez-le dans un bol. Ajoutez le vinaigre et l'huile. Salez, poivrez, puis fouettez le tout.

3. Coupez les avocats en deux. Ôtez la peau et le noyau, puis découpez la chair en tranches. Répartissez-les dans les assiettes et ajoutez la préparation à base de poulet. Arrosez de vinaigrette, puis servez.

# Salade POULET & YAOURT

Pour 4 à 6 personnes • Préparation : 20 min • Repos : 10 min • Cuisson : 10 min • Difficulté : 1

> 4 blancs de poulet sans la peau
> 3 cuill. à soupe d'huile d'olive vierge extra
> 3 cuill. à soupe de jus de citron vert
> 1 petite laitue iceberg
> 2 concombres
> Sel et poivre du moulin

Pour la sauce au yaourt

> 6 cuill. à soupe de mayonnaise
> 4 cuill. à soupe de yaourt à la grecque
> 2 cuill. à café de miel
> 1 cuill. à soupe de jus de citron vert

1. Dans un saladier, mélangez le poulet avec l'huile, le jus de citron, du sel et du poivre.

2. Mettez à chauffer un gril sur feu moyen. Faites cuire le poulet 5 minutes de chaque côté, puis transférez-le dans un plat. Couvrez d'une feuille d'aluminium et laissez reposer 10 minutes.

3. Préparez la sauce au yaourt. Dans un bol, fouettez les ingrédients.

4. Coupez le poulet en tranches. Effeuillez la laitue. Tranchez finement les concombres dans le sens de la longueur. Répartissez ces ingrédients dans des assiettes, puis nappez de sauce et servez.

# Salade POULET & POIS GOURMANDS

Pour 4 à 6 personnes • Préparation : 15 min • Cuisson : 2 min • Difficulté : 1

> 350 g de pois gourmands
> 150 g de pousses d'épinards
> 16 feuilles de menthe

> 4 blancs de poulet fumé
> 6 cuill. à soupe de lait de coco

1. Faites cuire les pois gourmands dans une casserole d'eau bouillante pendant 2 minutes. Égouttez-les, puis rincez-les sous l'eau froide pour arrêter la cuisson.

2. Dans un grand saladier, mélangez les pois gourmands avec les épinards et la menthe.

3. Répartissez la salade dans des assiettes. Détaillez le poulet en lamelles, puis ajoutez-les dans les assiettes. Arrosez de lait de coco et servez à température ambiante.

# Salade CANARD, THYM & MIEL

> 2 magrets de canard
> 1 cuill. à soupe d'huile d'arachide
> 1 brin de thym
> 15 g de beurre
> 2 cuill. à soupe de miel
> 1 cuill. à soupe de jus de citron
> 2 cuill. à soupe d'huile de noix
> 12 tomates cerises
> 100 g de salades mélangées
> Sel et poivre du moulin

Pour 4 personnes • Préparation : 10 min • Cuisson : 15 à 20 min • Difficulté : 2

1. Préchauffez le four à 190 °C (therm. 6-7). Salez et poivrez les magrets. Mettez l'huile d'arachide à chauffer à feu vif dans un plat allant au four, puis faites cuire les magrets, côté peau en dessous, jusqu'à ce que celle-ci soit brune. Enfournez pour 10 minutes ou plus selon le degré de cuisson désiré. Jetez la graisse et réservez la viande.

2. Effeuillez le thym. Faites fondre le beurre dans une sauteuse à feu moyen. Ajoutez le thym, le miel, puis le canard, côté peau vers le haut. Laissez revenir 3 minutes, puis réservez. Versez le jus de cuisson dans un bol. Ajoutez le jus de citron, l'huile de noix, du sel, du poivre et fouettez le tout.

3. Coupez les tomates en deux. Répartissez les salades mélangées et les demi-tomates dans quatre assiettes. Tranchez le canard, puis ajoutez-le dans les assiettes. Nappez de sauce et servez.

# Salade de POULET À L'ORIENTALE

- 2 blancs de poulet sans la peau
- 1 cuill. à soupe d'huile de sésame
- 4 ciboules
- 1 laitue chinoise ou ordinaire
- 1 grosse carotte
- 1 concombre
- 3 cuill. à soupe de coriandre hachée

Pour la marinade
- 4 cuill. à soupe de miel liquide
- 2 cuill. à soupe de vinaigre de riz
- 2 cuill. à soupe de sauce soja
- 1 gousse d'ail
- 1 morceau de gingembre de 2,5 cm
- 2 cuill. à soupe de graines de sésame grillées

Pour 4 personnes • Préparation : 20 min • Marinade : 30 min • Cuisson : 5 à 10 min • Difficulté : 1

1. Préparez la marinade. Dans un bol, mélangez le miel avec le vinaigre et la sauce soja. Pelez l'ail et le gingembre, puis hachez le tout. Ajoutez ces ingrédients à la préparation avec les graines de sésame.

2. Émincez le poulet, puis mettez-le dans un saladier. Recouvrez-le de la marinade et laissez reposer 30 minutes.

3. Mettez l'huile de sésame à chauffer dans une grande poêle à feu vif. Ajoutez le poulet et la marinade, puis faites sauter le tout de 5 à 10 minutes. Pendant ce temps, émincez les ciboules et la laitue, puis pelez la carotte et le concombre. Épépinez-le, puis coupez-le en julienne avec la carotte. Dans un saladier, réunissez les ciboules, la laitue, la carotte, le concombre et la coriandre. Ajoutez le poulet et son jus de cuisson. Remuez et servez.

Pour aciduler les plaisirs, remplacez le jus de citron par du jus de citron vert.

**106**

# Salade POULET, HARICOTS BLANCS & ROQUETTE

> 2 blancs de poulet sans la peau
> 400 g de haricots blancs en conserve
> 100 g de pousses de roquette
> Quelques feuilles de coriandre

**Pour la sauce au citron**
> 3 gousses d'ail
> 6 cuill. à soupe de jus de citron
> 2 cuill. à soupe de basilic haché
> 1 cuill. à soupe de sucre roux
> 12,5 cl d'huile d'olive vierge extra
> Sel et poivre du moulin

Pour 4 personnes • Préparation : 15 min • Cuisson : 10 à 15 min • Difficulté : 1

1. **Préparez la sauce au citron.** Pelez l'ail, puis hachez-le. Mettez-le dans un bol avec le jus de citron, le basilic, le sucre et l'huile, puis fouettez le tout. Salez et poivrez.

2. **Mettez à chauffer** un gril à feu vif. Coupez le poulet en tranches, puis faites-les griller de 5 à 7 minutes de chaque côté en les retournant et en les enduisant des deux tiers de la sauce au citron en cours de cuisson.

3. **Égouttez** les haricots. Mettez-les dans un saladier avec la roquette, la coriandre et le reste de la sauce au citron. Ajoutez le poulet, puis remuez délicatement. Servez sans attendre.

Si cette recette vous plaît, vous aimerez aussi…

Salade **POULET & MAÏS**

Salade de **POULET AUX LÉGUMES**

Salade **CANARD, THYM & MIEL**

# Salade de BŒUF THAÏ

> 500 g de rumsteck, de filet de bœuf ou de bifteck d'aloyau
> 2 cuill. à soupe d'huile d'arachide
> 150 g de salade frisée
> 2 gros piments rouges
> 1 concombre
> 20 tomates cerises
> 15 g de feuilles de menthe
> 15 g de feuilles de coriandre
> 15 g de feuilles de basilic
> 40 g de cacahuètes grillées
> 75 g de germes de soja

**Pour la marinade**
> 1 gousse d'ail
> 3 cuill. à soupe de jus de citron vert
> 2 cuill. à soupe de sauce nuoc-mâm
> 1 cuill. soupe de sucre roux
> 2 cuill. à soupe de pâte de curry rouge
> 2 cuill. à café d'huile d'arachide

Pour 4 à 6 personnes • Préparation : 20 min • Marinade : 2 h • Cuisson : 4 à 6 min • Difficulté : 1

1. Préparez la marinade. Pelez l'ail, puis hachez-le. Mélangez-le dans un saladier avec les autres ingrédients. Mettez le bœuf dans le saladier et enduisez-le de sauce. Couvrez d'un film alimentaire et laissez mariner 2 heures au réfrigérateur.

2. Mettez à chauffer à feu vif une grande poêle à fond épais. Versez l'huile dedans. Retirez le bœuf de la marinade, faites-le cuire 3 minutes chaque côté, puis laissez-le reposer 5 minutes.

3. Effeuillez la frisée. Épépinez les piments, puis émincez-les. Coupez le concombre en lamelles et les tomates en deux. Réunissez ces ingrédients dans un saladier avec la menthe, la coriandre et le basilic. Tranchez finement le bœuf, puis ajoutez-le à la salade. Arrosez de marinade et remuez. Hachez les cacahuètes et parsemez-en la salade. Ajoutez les germes de soja, puis servez.

# Salade POULET & FRUITS

> 500 g de poulet cuit
> 4 tiges de céleri-branche
> 150 g de raisin noir ou blanc
> sans pépin
> 2 pêches
> Sel et poivre du moulin

Pour la sauce
> 12,5 cl de mayonnaise
> 12,5 cl de crème aigre (ou crème
> fraîche additionnée de quelques
> gouttes de jus de citron)

Pour servir
> Quelques feuilles de persil plat

Pour 4 personnes • Préparation : 15 min • Réfrigération : 30 min •
Difficulté : 1

1. Détaillez le poulet en dés, puis émincez le céleri.
   Coupez les grains de raisin en deux. Pelez les pêches,
   puis coupez-les en dés. Réunissez ces ingrédients
   dans un grand saladier et remuez délicatement.

2. Préparez la sauce. Dans un bol, mélangez la mayonnaise
   avec la crème aigre. Versez le tout sur la salade,
   puis assaisonnez.

3. Réservez au réfrigérateur pendant 30 minutes.
   Parsemez de persil et servez.

Cette salade à base de bœuf est parfaite pour un déjeuner riche en énergie, mais pauvre en calories. Vous pouvez aussi la préparer avec de la volaille comme du poulet ou de la dinde.

# Salade BŒUF & LÉGUMES

> 500 g de bifteck désossé dans l'aloyau
> 1 poivron rouge
> 150 g de champignons
> 300 g de salades mélangées
> Sel et poivre du moulin

Pour la vinaigrette
> 2 gousses d'ail
> 12,5 cl d'huile d'olive vierge extra
> 2 cuill. à soupe de vinaigre balsamique
> 1 pincée de piment en poudre

Pour 4 personnes • Préparation : 20 min • Repos : 10 min • Cuisson : 15 à 20 min • Difficulté : 1

1. Préparez la vinaigrette. Pelez l'ail, puis hachez-le. Mettez-le dans un bol avec l'huile, le vinaigre, le piment, du sel et du poivre, puis fouettez le tout.

2. Mettez un gril à chauffer ou allumez un barbecue à feu moyen. Assaisonnez le bœuf, puis faites-le griller de 10 à 15 minutes en le retournant à mi-cuisson. Réservez-le dans une assiette et laissez-le reposer 10 minutes.

3. Pendant ce temps, épépinez le poivron, puis coupez-le en lamelles. Émincez les champignons. Dans un saladier, mélangez ces ingrédients avec 2 cuillerées à soupe de vinaigrette, puis faites-les griller pendant 5 minutes.

4. Tranchez le bœuf. Mettez-le dans un grand plat de service avec 4 cuillerées à soupe de vinaigrette et retournez les tranches pour les enduire de sauce. Ajoutez les légumes grillés et les salades mélangées. Remuez. Nappez du reste de la vinaigrette et servez.

Si cette recette vous plaît, vous aimerez aussi...

Salade **PORC & TOMATES**

Salade **BACON, ASPERGES & ÉPINARDS**

Salade **PORC GRILLÉ & FRUITS FRAIS**

# Salade de ROSBIF

Pour 4 personnes • Préparation : 10 min • Cuisson : 5 min • Difficulté : 1

> 2 oignons rouges
> 1 cuill. à soupe d'huile d'olive vierge extra
> 1 poignée de roquette
> 12 tranches de rosbif saignant
> Sel et poivre du moulin

Pour la vinaigrette
> 5 cuillerées à soupe d'huile d'olive vierge extra
> 1 cuill. à soupe de moutarde à l'ancienne
> 1 cuill. à soupe de vinaigre de vin blanc

1. Mettez un gril à chauffer à feu moyen. Pelez les oignons et coupez-les en rondelles. Trempez-les dans l'huile, assaisonnez-les, puis faites-les griller 2 minutes de chaque côté.

2. Préparez la vinaigrette. Dans un bol, fouettez tous les ingrédients, puis salez et poivrez.

3. Répartissez la roquette dans les assiettes. Ajoutez le rosbif et les oignons. Nappez de vinaigrette et servez.

# Salade POULET & ANANAS

Pour 4 à 6 personnes • Préparation : 15 min • Réfrigération : 30 min • Difficulté : 1

> 4 tiges de céleri-branche
> 500 g de poulet cuit
> 1 petit ananas
> 12,5 cl de mayonnaise
> 200 g de salades mélangées

> 2 œufs durs
> Sel et poivre du moulin

Pour servir
> Quelques feuilles de coriandre

1. Émincez le céleri et coupez le poulet en dés. Pelez l'ananas, ôtez le cœur, puis détaillez la chair en petits morceaux. Dans un saladier, mélangez le poulet avec le céleri, l'ananas et la mayonnaise. Salez, poivrez, remuez délicatement, puis réservez au réfrigérateur pendant 30 minutes.

2. Répartissez les salades mélangées dans des assiettes. Ajoutez la préparation à base de poulet. Écalez les œufs durs et coupez-les en quatre. Disposez-les sur la salade. Parsemez de coriandre, puis servez.

# Salade PORC & TOMATES

Pour 4 à 6 personnes • Préparation : 15 min • Cuisson : 7 à 10 min • Difficulté : 1

> 4 ciboules
> 16 tomates cerises
> 150 g de maïs en conserve
> 100 g de pousses d'épinards
> 1 gousse d'ail
> 2 cuill. à café de piment en poudre
> 1 pincée de cumin en poudre

> 500 g de filet de porc
> 2 cuill. à soupe d'huile d'olive vierge extra
> 12,5 cl de jus d'orange
> 2 cuill. à soupe de jus de citron
> Sel et poivre du moulin

1. Émincez les ciboules et tranchez les tomates cerises. Égouttez le maïs. Réunissez ces ingrédients dans un saladier de service avec les épinards et réservez.

2. Pelez l'ail, puis hachez-le. Dans un grand saladier, mélangez l'ail avec le piment et le cumin. Coupez le porc en dés, puis mettez-les dans le mélange épicé et remuez avec soin.

3. Mettez l'huile à chauffer dans une grande poêle à feu moyen, puis faites revenir les dés de porc de 7 à 10 minutes. Arrosez des jus d'orange et de citron. Portez à petite ébullition, puis transférez la préparation dans le saladier de service. Remuez et servez.

# Salade AGNEAU & TOMATES

Pour 4 à 6 personnes • Préparation : 15 min • Cuisson : 8 à 10 min • Difficulté : 1

> 500 g de gigot d'agneau désossé ou de filet d'agneau
> 1 cuill. à soupe d'huile d'olive
> 4 ciboules
> 50 g de persil plat
> 250 g de tomates cerises jaunes
> 1 concombre
> Sel et poivre du moulin

Pour la sauce
> 5 cuill. à soupe d'huile d'olive vierge extra
> 2 cuill. à café de moutarde à l'ancienne
> 1 cuill. à café de miel

1. Mettez à chauffer une grande poêle à feu moyen. Huilez l'agneau et assaisonnez-le, puis faites-le cuire de 8 à 10 minutes dans la poêle en le retournant régulièrement. Transférez la viande dans une assiette, couvrez d'une feuille d'aluminium et laissez reposer.

2. Pendant ce temps, émincez les ciboules et ciselez le persil. Coupez les tomates en deux et le concombre en dés. Réunissez ces ingrédients dans un saladier.

3. Préparez la sauce. Dans un petit bol, fouettez l'huile avec la moutarde et le miel. Salez et poivrez.

4. Coupez l'agneau en tranches fines et ajoutez-les dans le saladier. Arrosez de sauce. Remuez, puis servez.

Pour cette recette, veillez à choisir de jeunes asperges vertes. Si leurs tiges sont épaisses, coupez-les en deux dans le sens de la longueur pour réduire leur temps de cuisson. Si ce n'est pas la saison des asperges, vous pouvez les remplacer par 400 g de haricots verts.

# Salade BACON, ASPERGES & ÉPINARDS

- 2 tomates
- 5 cuill. à soupe d'huile d'olive vierge extra
- 16 asperges vertes
- 250 g de bacon
- 1 bulbe de fenouil
- 200 g de pousses d'épinards
- 1 cuill. à soupe de poivre vert en saumure
- 2 cuill. à soupe de vinaigre balsamique

Pour 4 personnes • Préparation : 20 min • Cuisson : 7 à 12 min • Difficulté : 1

1. Tranchez les tomates. Mettez 1 cuillerée à soupe d'huile à chauffer dans une grande poêle à feu moyen, puis faites revenir les tomates dans l'huile 1 ou 2 minutes. Disposez-les en une seule couche dans un grand plat de service.

2. Coupez la base des asperges et jetez-la. Versez 4 à 6 cuillerées à soupe d'eau dans la poêle. Faites cuire les asperges à feu vif de 3 à 5 minutes, puis répartissez-les sur les tomates.

3. Détaillez le bacon en lamelles. Faites-les revenir de 3 à 5 minutes dans la poêle et réservez-les.

4. Coupez le fenouil en petits quartiers. Ajoutez-les dans le plat avec les épinards et le bacon grillé. Rincez le poivre vert, puis parsemez-en le plat. Arrosez de vinaigre et du reste de l'huile, puis servez sans attendre.

Si cette recette vous plaît, vous aimerez aussi...

Salade SAUCISSON & POMMES

Salade JAMBON FUMÉ & ANANAS

Salade PORC GRILLÉ & FRUITS FRAIS

# Salade SAUCISSON & POMMES

> 2 pommes vertes
> 1 filet de jus de citron
> 250 g de saucisson
> 5 ou 6 cornichons
> 3 cuill. à soupe de persil plat haché
> 1 oignon rouge

Pour la vinaigrette
> 4 cuill. à soupe d'huile d'olive vierge extra
> 1 cuill. à soupe de vinaigre de cidre
> 1/2 cuill. à café de sucre en poudre
> Sel et poivre du moulin

Pour 4 personnes • Préparation : 15 min • Réfrigération : 15 min • Difficulté : 1

1. Préparez la vinaigrette. Dans un bol, fouettez l'huile avec le vinaigre et le sucre. Salez et poivrez.

2. Évidez les pommes, puis détaillez-les en dés. Arrosez-les de jus de citron. Coupez le saucisson et les cornichons en morceaux. Réunissez ces ingrédients dans un saladier avec le persil. Arrosez de vinaigrette, puis remuez. Pelez l'oignon et coupez-le en rondelles. Parsemez-en le plat. Réservez au réfrigérateur pendant 15 minutes, puis servez.

# Salade JAMBON FUMÉ & ANANAS

> 1 petit ananas
> 1 grosse pomme verte
> 250 g de jambon fumé en tranches
> 150 g de choucroute

Pour la sauce
> 12,5 cl de mayonnaise allégée
> 3 cuill. à soupe de crème fraîche liquide
> Le jus de 1 citron
> 2 cuill. à café de romarin haché
> 1 cuill. à soupe d'aneth hachée
> 1 pincée de sucre en poudre
> Sel

Pour servir
> Quelques brins d'aneth

Pour 4 personnes • Préparation : 10 min • Difficulté : 1

1. Pelez l'ananas et ôtez le cœur. Évidez la pomme. Coupez les fruits en dés et le jambon en petits morceaux. Réunissez ces ingrédients dans un grand saladier. Ajoutez la choucroute et remuez.

2. Préparez la sauce. Dans un bol, fouettez la mayonnaise avec la crème fraîche et le jus de citron. Ajoutez le romarin, l'aneth et le sucre. Salez et mélangez.

3. Versez la sauce sur la salade, parsemez d'aneth, puis servez.

**118**

Le porc se marie bien avec de nombreux fruits.
Pour cette recette, choisissez ceux que vous préférez
en privilégiant les fruits de saison.

# Salade PORC GRILLÉ & FRUITS FRAIS

- › 500 g de filet de porc
- › 1 pamplemousse
- › 2 nectarines mûres
- › 2 avocats
- › 300 g de salades mélangées
- › Sel et poivre du moulin

Pour la vinaigrette
- › 12,5 cl d'huile d'olive vierge extra
- › 2 cuill. à soupe de vinaigre balsamique
- › 1/2 cuill. à soupe de moutarde de Dijon
- › 2 cuill. à soupe de miel
- › 2 cuill. à soupe de mayonnaise
- › 1/2 cuill. à café de piment en poudre
- › 1/2 cuill. à café de sel
- › 1/2 cuill. à café de poivre noir moulu

Pour la marinade
- › 1 gousse d'ail
- › 4 cuill. à soupe d'huile d'olive vierge extra
- › 1 cuill. à soupe de romarin haché

Pour 4 personnes • Préparation : 20 min • Réfrigération : 12 h •
Cuisson : 10 à 15 min • Difficulté : 2

1. La veille, préparez la marinade. Pilez l'ail. Dans un grand
saladier, fouettez l'huile avec le romarin, l'ail, du sel
et du poivre. Mettez le porc dans le saladier et retournez-le
pour l'enduire de sauce. Réservez au réfrigérateur
pendant 12 heures.

2. Le jour même, faites chauffer un gril à feu moyen.
Faites cuire la viande de 12 à 15 minutes. Laissez reposer
10 minutes, puis coupez-la en tranches épaisses.

3. Pelez le pamplemousse à vif, puis détaillez-le en lamelles.
Coupez chaque nectarine en 12 quartiers et les avocats
en deux. Retirez la peau et le noyau, puis coupez la chair
en quartiers. Réunissez ces ingrédients dans un grand
saladier, puis ajoutez les salades mélangées et la viande.

4. Préparez la vinaigrette au miel. Dans un bol, fouettez
tous les ingrédients. Versez la vinaigrette sur la salade,
puis servez aussitôt.

Si cette recette vous plaît, vous aimerez aussi...

Salade **POULET, FIGUES & BROCOLIS**

Salade **POULET & FRUITS**

Salade **JAMBON FUMÉ & ANANAS**

# INDEX